惊人的瘦身力

健康饮食顾问、瘦身顾问

［日］艾莉 著　郭勇 译

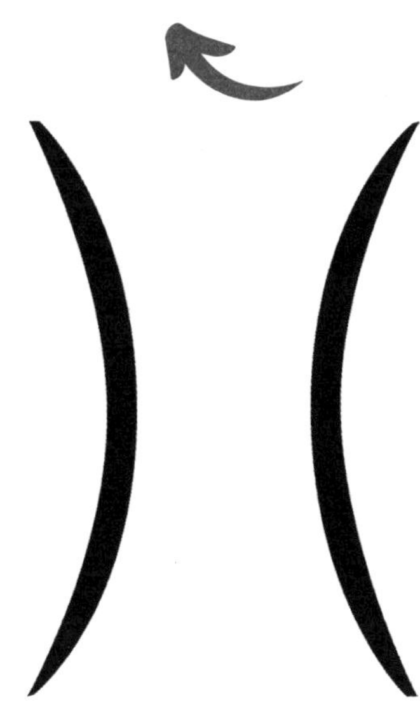

CNS 中南出版传媒 | 湖南科学技术出版社　博集天卷 CS-BOOKY

著作权合同登记号：图字 18-2024-134

图书在版编目（CIP）数据

惊人的自然瘦身力 /（日）艾莉著；郭勇译 . -- 长沙：湖南科学技术出版社，2024.6
ISBN 978-7-5710-2937-1

Ⅰ. ①惊… Ⅱ . ①艾… ②郭… Ⅲ . ①减肥－普及读物Ⅳ . ① R161-49

中国国家版本馆 CIP 数据核字（2024）第 108962 号

上架建议：畅销・健康生活

JINGREN DE ZIRAN SHOUSHENLI
惊人的自然瘦身力

著　　者：[日] 艾莉
译　　者：郭　勇
出 版 人：潘晓山
责任编辑：刘　竞
监　　制：邢越超
策划编辑：李彩萍
特约编辑：王　屿
版权支持：金　哲
营销支持：周　茜
封面设计：利　锐
版式设计：风　筝
内文排版：百朗文化
出　　版：湖南科学技术出版社
（湖南省长沙市芙蓉中路 416 号　邮编：410008）
网　　址：www.hnstp.com
印　　刷：三河市中晟雅豪印刷有限公司
经　　销：新华书店
开　　本：875 mm × 1230 mm　1/32
字　　数：178 千字
印　　张：7.5
版　　次：2024 年 6 月第 1 版
印　　次：2024 年 6 月第 1 次印刷
书　　号：ISBN 978-7-5710-2937-1
定　　价：56.00 元

若有质量问题，请致电质量监督电话：010-59096394
团购电话：010-59320018

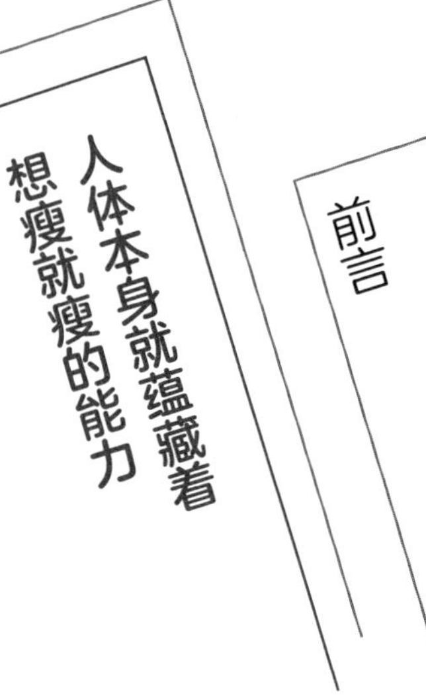

前言

人体本身就蕴藏着想瘦就瘦的能力

我打小就是个小胖墩儿，曾经和肥胖战斗了 25 年，可这 25 年的减肥历程于我而言并没有什么收获。在那段漫长而难熬的时光里，身边苗条的朋友都是我羡慕的对象，再看看自己，唉！没有对比就没有伤害，自卑和消沉终日纠缠着我。“我怎么做都没有用……”只要是跟“减肥”相关的事情，比如运动、控制饮食、吃瘦身药物等，我都尝试过，可是每次面对镜子时，依旧总会不自觉地发出一声叹息：“唉……”

每当我尝试一种新的瘦身方法几周后，再次站在镜子面前，看着镜子中映出自己浮肿的脸时，都会感到愕然！再站上体重秤，看着秤上的数字，会不禁感叹：“啊！并没有瘦，反而还胖了！怎么会这样?！”我会瞬间瘫倒在地，浑身颤抖，泪水在眼眶里打转。

怎么会有这种毫无回报的减肥故事呢？如果让我给出一个原因的话，我会说——“搞错了主角！”

如果您也有过和我类似的悲惨减肥经历，估计多半您也把“自己”当成了减肥故事的“主角（应该努力的主体）”。

但实际上，“减肥故事”真正的主角是人体的“血液”“内脏”“神

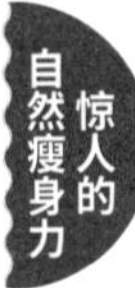

经”等，即构成人体、维持人体功能运转的那些小伙伴。在减肥的过程中，**我们扮演的角色应该是“制作人”，负责为真正的主角提供良好的环境，以便让它们顺利履行各自的职责，而我们负责指挥、治愈它们就够了。**当您成为一名“金牌制作人”的时候，您的身体也会发挥出前所未有的力量。

- 排出体内的废物，自然地塑造出最合适的身体线条；
- 高效率地把吃下去的食物转化为营养，精神饱满、体力充沛，头发和肌肤都充满了“生命力”；
- 身体变得轻盈，对健康的担忧减少，人生充满幸福感；
- 不再因环境或压力而感到焦虑，不容易消沉，即使再忙碌，内心也能保持平稳。

以前，也许外界有任何风吹草动都会干扰您的人生，但以后，您要“以自己为轴心生活”，度过不受外界干扰的人生。这将是一个多么令人感动的故事啊！

我知道您可能想说：“这可能吗？太难了吧。”但实际上，这是以“森罗万象（宇宙中存在的万事万物）”的规则为基础，演绎的最自然不过的故事而已。那么接下来，就请和我一起把您自己打造成自己身体的“金牌制作人”吧！

本书的书名为《惊人的自然瘦身力》，旨在滋养我们身体的主角，即构成人体、维持人体功能运转的那些小伙伴，激发出它们的美。这是顺应大自然规则的尝试，也是激活“瘦身能力”的方法。

这种美，我们的身体一直具备，只是以前的我们没有意识到罢了。接下来，让我们一起自然而然地激发出身体真正的美吧！

怎么也瘦不下来的我，如同身处地狱之中

大家好！我是你们的养生瘦身顾问，我叫艾莉。前面给大家讲的**减肥差等生故事中的主角，就是本人**。我从小就很胖，上高中时下定决心要减肥。但是，在35岁之前，我的减肥历程一直是个“瘦一点——反弹”的死循环。

我曾经尝试过各种减肥方法，因此也体验了各种瘦下来的方法。比如，通过接近绝食的办法迅速瘦下来，但人也变得精神恍惚、步履蹒跚；通过力量训练，锻炼肌肉瘦了下来，虽然练出了六块腹肌，胳膊和腿却粗壮了起来；通过练习铁人三项（有氧运动的天花板），我的体脂率一度降到了17%，但皮肤松弛到出现了褶皱，下半身也练得很粗壮……不管用哪种方法，我最多能保持“瘦”的状态两个月。

随后我的体重就会反弹，而且比减肥之前更胖。下一次减肥还很难比之前减得更多，简直就是陷入了恶性循环。“比别人多付出一倍的努力”是我信奉的宗旨。即便是这样的我，在这样的恶性循环面前，也被折磨得筋疲力尽。

天无绝人之路，就在这种地狱般的日子里，我遇到了一束光。

这束光，让我眼前的世界豁然开朗！这束改变我人生的光，就是“**东方医学**”。遇到东方医学之后，虽然我看到的世界还是那个世界，但看待世界的方法、标准，却完全改变了。

一般的减肥方法，背后的理念是：肥胖 = 摄入的热量 > 消耗的热量。所以，要想减肥，既不能摄入太多的热量，为了消耗更多的热量，还要进行运动。所以，当时的我就克制自己的食欲，且拼命运动。

但东方医学的理念是：肥胖 = 身体循环状态不佳。即**本来应该在身体里循环起来的物质，阻塞住了，于是使人发胖。**

体内物质循环发生阻塞的原因是内脏、血液、细胞、神经等“代

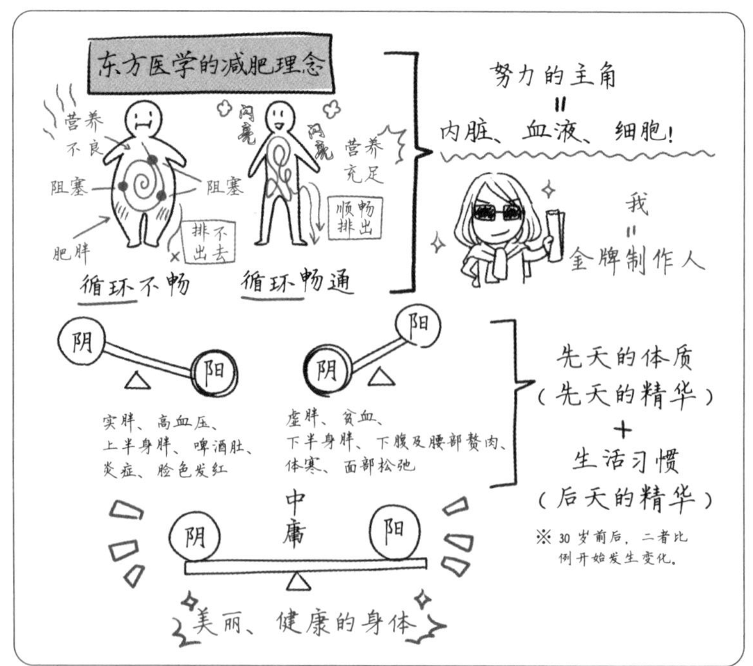

谢组织"的功能出现了问题，致使代谢效率低下。通俗地讲，就是我们的那些小伙伴状态不太好。每个人体内阻塞的物质、发胖的位置，是不太一样的。

我们的体内有会因吸水而膨胀的"阴"之要素，也有会因凝固而停滞的"阳"之要素。阴阳两种要素无法达到平衡的话，就会带来"发胖"等各种损害健康的结果。这就是东方医学的基本理念。为了更好地理解阴阳平衡，大家可以想象一下游乐园里的跷跷板。**在跷跷板的两头分别坐着阴和阳，如果跷跷板两头相差的幅度很大（偏重阴或阳一边），那么，我们的内脏、血管等组织就会承受一定的负担，导致循环恶化，增加发胖的概率。消除体内阻塞、淤积的物质，要靠"代谢组织"的力量，但我们身体的代谢力量，由先天的体质和后天的生活习惯决定。**

稍等！我需要冷静一下。也就是说，即使我非常努力地运动、控制饮食，但如果代谢组织的状态不好的话，也很难减肥?!

典型的例子就是与肥胖斗争了 25 年，结果惨败的我！我最后给了自己一次机会——打算用东方医学的视角来审视减肥，试试调整一下体内的循环。于是我果断转舵，结果没想到的是，一个感人的减肥故事就此拉开序幕。

以东方医学为武器，轻松减肥

东方医学是一种传统医学，拥有 4000 年以上的历史。东方医学在印度以"阿育吠陀医学"的形式、在中国以"中医学"的形式、在阿拉伯以"尤纳尼医学"的形式、在印度尼西亚以"佳木"的形式遍地开花（但关于东方医学的历史，不同的学者有不同的见解）。日本的传统医学，由中国传入，在中医学的基础上结合日本本地风土，发展出了“日本汉方”医学体系，具体如“养生训”“自然长寿饮食法”等。在日本人的养生保健、改善生活习惯方面，起到了很大的作用。

在东方医学的理论中，所有的物质被分为“阴”“阳”两类。比如“体质”“体型”“食物”等，都分阴阳。

阴阳平衡＝自然治愈力强、基础代谢高的状态。当内脏、血液、细胞、神经（代谢组织）等处于最佳状态，可以高效发挥机能的时候，人体就没工夫发胖了（体内废物淤积）。

在阴阳平衡的状态下，人不会产生营养不足的错觉，因此食欲不会明显增加。**排除了阴过剩和阳过剩的情况，结果就是体内的代谢废物减少、食欲降低，自然瘦身。**

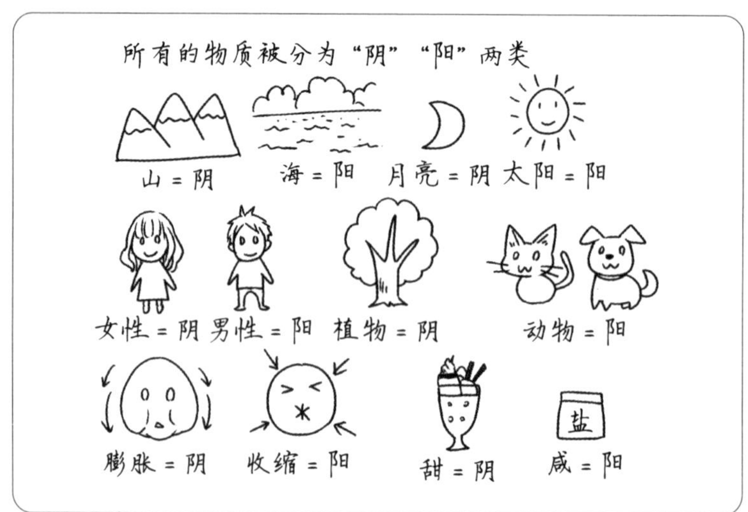

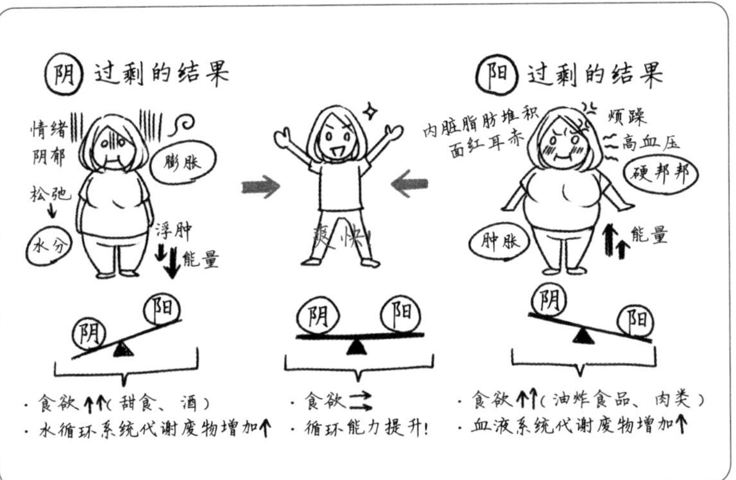

曾经追逐各种减肥潮流的我

在我的人生中，浪费了 25 年时间在盲信各种“潮流”减肥法上。我从十几岁到三十几岁，盲目崇拜“**热量神话**”。想方设法把自己一天摄入的热量控制在 5000 千卡[①]以内；还曾尝试只吃酸奶和水果度过一周；使用的调味料也尽量选用“0 卡”的人工产品……现在反思一下，那些年我吃的竟是一些“热量低的甜食”。

但是，在东方医学的理论中，“甜 = 阴”，偏阴性的食物是体寒和肿胀的原因。于是，那些年我怎么也瘦不下来，身体还在持续变胖，脂肪不断往腰间堆积。而且，体寒的状况非常严重，在我的印象中，我的体温很少在 35.7 ℃以上。

① 卡路里简称卡，热量单位。在 1 个大气压下，使 1 克水的温度升高 1℃所需要的能量。——编者注

35 岁左右，我又开始相信“**蛋白质神话**”。鸡胸肉、瘦猪肉、瘦牛肉、蛋白粉、芝士……那时的我几乎不吃一粒大米，在饮食上严格控糖。为了增加肌肉，我每天去健身房锻炼，和那些肌肉壮汉一起练深蹲……那时的我坚信：“只要动起来，就能瘦下来！”甚至还参加了全程马拉松和铁人三项赛。那是我的“**运动成瘾时代**”。

“肉 = 阳”，身体过分偏阳性的话，血管容易堵塞，内脏炎症频发，反映在表面就是皮肤长出了很多粉刺。那时的我，变成了壮硕的胖（肌肉与肌肉之间填满脂肪的状态），**大腿和双臂比以前更粗了（伤心）**。高强度的锻炼，让我感觉筋疲力尽，于是总想喝点酒放松一下。虽然喝的是“零糖”的酒，但第二天脸会浮肿起来。当时，我明显是努力过头了。也许可以说，我的心中存在一种傲慢的想法，认为能够通过自己的努力对自己的身体加以改造。

二十多岁的我，坚持减肥，但平均每半年体重就会反弹一次。结果逐渐变成了不易瘦的体质。（25 岁左右）

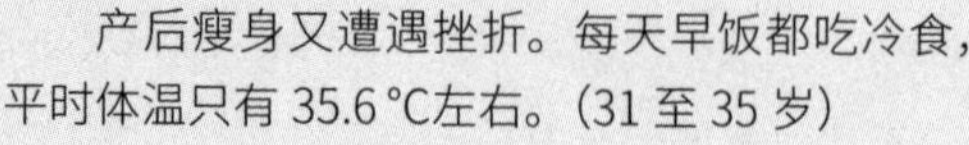

产后瘦身又遭遇挫折。每天早饭都吃冷食，平时体温只有 35.6 ℃左右。（31 至 35 岁）

每周锻炼 5 天！即使练出了腹肌，依然没法完全消除腰间的脂肪，“水桶腰”依旧在。（35 岁左右）

为了瘦身，我一心投入跑步事业。与此同时，大腿变得粗壮、食欲旺盛，这些成了我的新烦恼。（35 岁左右）

减重 12 公斤！感情和工作稳定，所有好事都向我走来！

就在那个时期，我有幸看到了一本书——《无双原理 · 易》（樱泽如一、冈田定三，Sunmark[①] 出版社）。

那是一本介绍**以东方医学阴阳学说为基础的保健饮食方法**的书。书中主张，人的身体是自然的一部分。人体内潜藏着“自然的力量”，而人的努力在这股自然的力量面前简直不值一提。所以，只要能激发出这股自然的力量，人体就会以惊人的速度恢复到很好的状态。我以这本书为参考，开始用东方医学的视角来审视减肥这个问题，并付诸实践。结果，我根本没有付出多余的努力，用一周的时间就减掉了 2 公斤的体重。身体的变化肉眼可见，夸张点说，我简直听到了自己变瘦时的声音。这是因为我身体里“多余的水分（阴）”被排到了体外，身体的浮肿消失了。一个月后，我脸上的潮红和痘痘基本上也消失了，

① 日本的图书出版社之一：サンマーク出版。——编者注

皮肤明显好了一个档次，水润且充满光泽。这是因为“血液中的废物（阳）”也被排到了体外，血液变干净了。此时，我已经能感觉到自身的**基础代谢得到了提升，“自主神经”的运转也步入了正轨**。

不需多余的努力也能自然地瘦下来，让身体恢复到健康的状态。我给这种感觉取了个名字，叫“**自然瘦身力**”。即**自动的、自然的，随随便便就能瘦下来的能力**。当我意识到自己身体的变化的时候，再一称体重，发现已经减掉了 12 公斤！衣服的尺码也发生了巨大的变化，上衣由原来的 M 码变成了 S 码，下身的裤子、裙子更是减小了两个码，从 L 码变成了 S 码！

而且，**放弃健身之后，我可以把花在健身上的时间（每周 30 个小时，现在想想真是有点过头了）放在自己的兴趣爱好上，或者用来陪伴家人。因此也可以说，我的整个生活发生了翻天覆地的变化！**感觉就像穿越到了另一个平行时空，见到了另一个自己。

放弃肌肉锻炼，采用东方医学饮食疗法后，我明显变瘦了。仅仅进行拉伸运动，腰部的线条就变得纤细有型。（35 岁后）

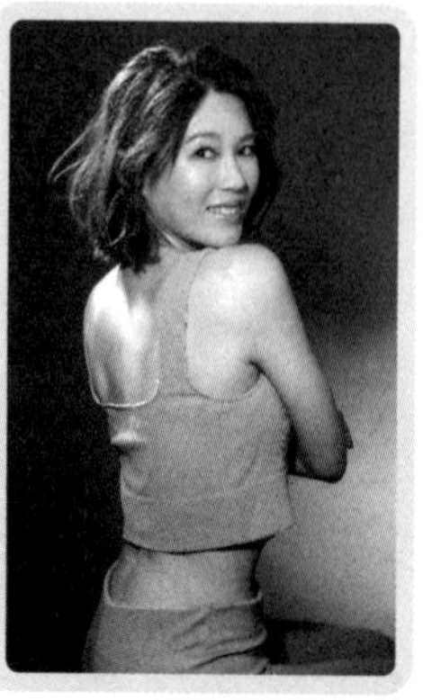

学习了东方医学的自然治愈力，采取养生的饮食方式，我的体形管理就开启了轻松模式。（35 岁后）

还有更加可喜的变化。掌握了“自然瘦身力”之后，**原本不顺利的工作，也接连迎来了转机**。当时，我有一份公司职员的正式工作，同时还用业余时间当瑜伽教练。随着瑜伽学员的不断增多，我开始独立创业，当起了瘦身顾问。创业的那段时间，我身体的“阴阳平衡”已经达到调和的状态，**情感的起伏波动也明显缓和了很多**。以前，焦虑、烦躁的情绪经常环绕在我的左右，但那段时间，我已经很少产生那些负面情绪了。随之而来的是旺盛的精力和**果断的执行力**。这是因为原本淤积在下肢的多余水分已经排出体外，沉重的情绪也变得轻快起来。

另外，我的食欲也得到了控制，甜品、酒水对我已经失去了诱惑力。仿佛感觉从身体的深处涌出了无穷的力量——那是按照自己的意愿生活的人生力量。

从今天开始，忘记自己的年龄，从自己喜欢的事情做起！

在人生开始步入正轨的日子里，我有了一次特殊的体验。一天，我感觉到自己的人生正在被“自然之力”庇佑，突然之间，感动的泪水毫无征兆地流了下来。心底里有一个声音告诉自己：“嗯，我的人生已经没问题了。”虽然不知道为什么会这样，但就是对自己有了巨大的认同感和幸福感。

而在此之前，我无论如何也瘦不下来，工作也有诸多磕绊，因此总认为人世间充满了不公平，对人生是一种抱怨甚至敌视的态度。可是现在，我的人生已经豁然开朗，生活充满了阳光。

怀着感恩之心，我在 YouTube[①] 上开设了自己的频道——“Elly

① 一个国外视频网站，注册于2005年，用户可下载、观看及分享影片或短片。编者注

的瘦身频道·养生瘦身”。从开设至今，3 年的时间我已经大约收获了 42.7 万粉丝（截至 2023 年 5 月 29 日）。

人的身体和心理是“表里一体”的存在。身体变轻了，内心的负担也会随之减轻，就连走路的步伐也会轻快起来。不愧是拥有 4000 年历史的东方医学，令我拜服！

目前，最先进的西医理论，也开始认同“人是自然的一部分”，并关注自然治愈力，同样想通过自然治愈力来预防、治疗疾病，保持身体的健康。虽然西医的表达方法和东方医学不太一样，但提高自然治愈力的思考方向和方法，在很多方面是共通的。这就是我前面讲过的森罗万象的宇宙规律。

在本书中，**我将传统的东方医学知识与当前最先进的医学研究成果结合起来，为大家介绍提高“自然瘦身力”的方法**。一听到“东方医学”“最先进的医学研究”，可能有朋友会皱起眉头，心想这也太难了吧，他可能理解不了。但请大家放心，本书中的内容没有一点难懂的地方。其实这本书更像是“外婆的生活智慧宝典”，其中**满是关于饮食、睡眠、运动等的日常生活小知识、小妙招。任何人，不论年龄，不管在何时何地，都可以尝试。说不定就能给您的身体、生活带来意想不到的改变**！

YouTube 粉丝达到 10 万的证书——“银盾”！这是我充满活力、身心轻快的一年（2021 年）。

掌握“自然瘦身力”之后，人生会发生戏剧性的变化。“多亏学到了艾莉小姐的方法，我成功减重了 13 公斤”“今年我的花粉症一次也没有发作”“我的法令纹越来越浅了”“我上初中的儿子减重了 5 公斤”“今年体检，我所有项目的得分都是 A”“以前我过度控糖，但并没有瘦多少。学习自然瘦身力之后，很快就瘦下来了”“我小腿的浮肿消失了，又可以去徒步旅行了”“以前我吃巧克力成瘾，现在轻松戒掉了巧克力，体重也减了 7 公斤，真的难以置信”……

YouTube 上我频道的观众以及参加我在线沙龙的朋友，在实践了我的瘦身方法之后，给我传回了数不清的好消息。您想不想也来体验一下“自然瘦身力”的奇妙之处？**您可以先随意翻一翻这本书，看到自己感兴趣的地方时，尝试一下就可以。要的就是这种轻松、无压力的感觉。**当感觉到变化之后，相信您一定会把这本书当作宝贝的。到时，您的身体也会一点点走上“自然瘦身”的正轨，让身体中的每一个角色（内脏、血液、神经等）都活跃起来，为整个身体的健康而努力工作。接下来，就请和我一起为身体书写一个神奇的故事吧！

艾莉

2023 年 6 月

やせ力
惊人的自然瘦身力

CONTENTS

这次您也能轻松瘦身！

“自然瘦身力”不为人知的力量

饮食养生❶ 仅仅改变饮食方式，就可以自然瘦身

饮食养生❷ 仅仅改变饮食的内容，就可以自然瘦身

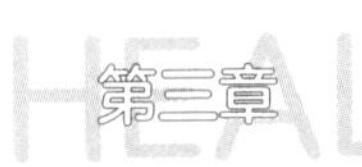

疗愈养生

疗愈身心，便可自然瘦身

第四章 感受养生
改变感受方式，便可自然瘦身

MOVE 第五章 运动养生
改变运动方式，便可自然瘦身

SLEEP 第六章

睡眠养生
改变睡眠方式，便可自然瘦身

(PROLOGUE)
序章

这次您也能轻松瘦身！
『自然瘦身力』不为人知的力量

人过 30 岁，生活习惯比遗传因素对自身的影响更大

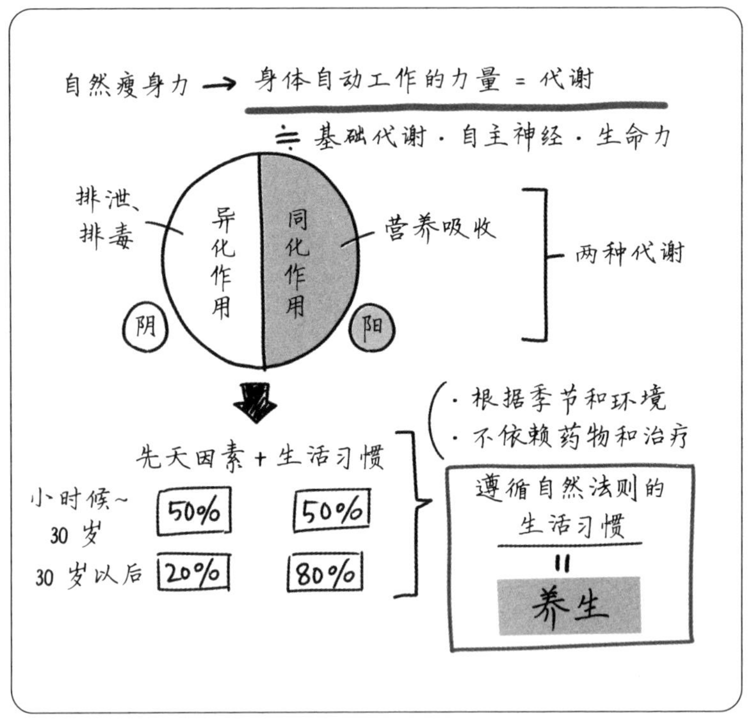

所谓“自然瘦身力”，其实是“身体自动工作的力量（代谢）”的一种。具体来讲，就是让内脏、血液、细胞、神经工作的力量。您是否听说过“代谢高的人容易瘦”的说法？确实如此。另外，自主神经系统运转和谐的人，生命力更强，也是类似的道理。

不过，“自然瘦身力”，即代谢力量的驱动，并不是我们的意志所能控制的。代谢可以分为“同化作用（阳）”和“异化作用（阴）”两种。**“同化作用”指“营养吸收”，通俗地讲，就是“让身体变大”的作用。“异化作用”指“排泄、排毒”，换言之，就是排出体内废物的作用**。以上两种代谢作用如果能够平衡运转的话，人体才能健康，才能美。如果“同化作用”强的话，人的吸收能力就强，也就容易长胖；而“异化作用”太强的话，排泄就会不顺畅。

上述两种代谢，不管哪个太强，人都容易长胖。所谓“基础代谢低”，指的就是两种代谢太强的情况。

人“易胖体质”的形成原因，有先天因素和后天因素两个方面。先天因素是指从父母那里遗传来的特征，即基因。后天因素是指生活习惯，即在生活中养成的一些癖好。东方医学认为，**人从30岁左右开始，先天和后天两种因素在体质的决定方面所占的权重会发生变化**。在孩提时代，我们从父母那里遗传来的基因决定我们的体质，但从30岁开始，“后天因素（生活习惯）”将对身体产生更大的影响。换句话说，30岁过后，我们过什么样的生活，将决定我们的健康状况。

有很多种方法可以帮我们维持“同化作用（阳）”和“异化作用（阴）”的平衡，保持良好的生活习惯是最简单便捷的一种方法。

为了维持代谢的平衡，我们应该利用符合环境和季节的事物，不过分依赖药物和治疗手段，依照“自然法则”生活，最为重要。遵守自然法则的生活方式，东方医学称之为“养生”。养生正是培养自身“自然瘦身力”的关键所在。

如何养生？（养生的基本知识）

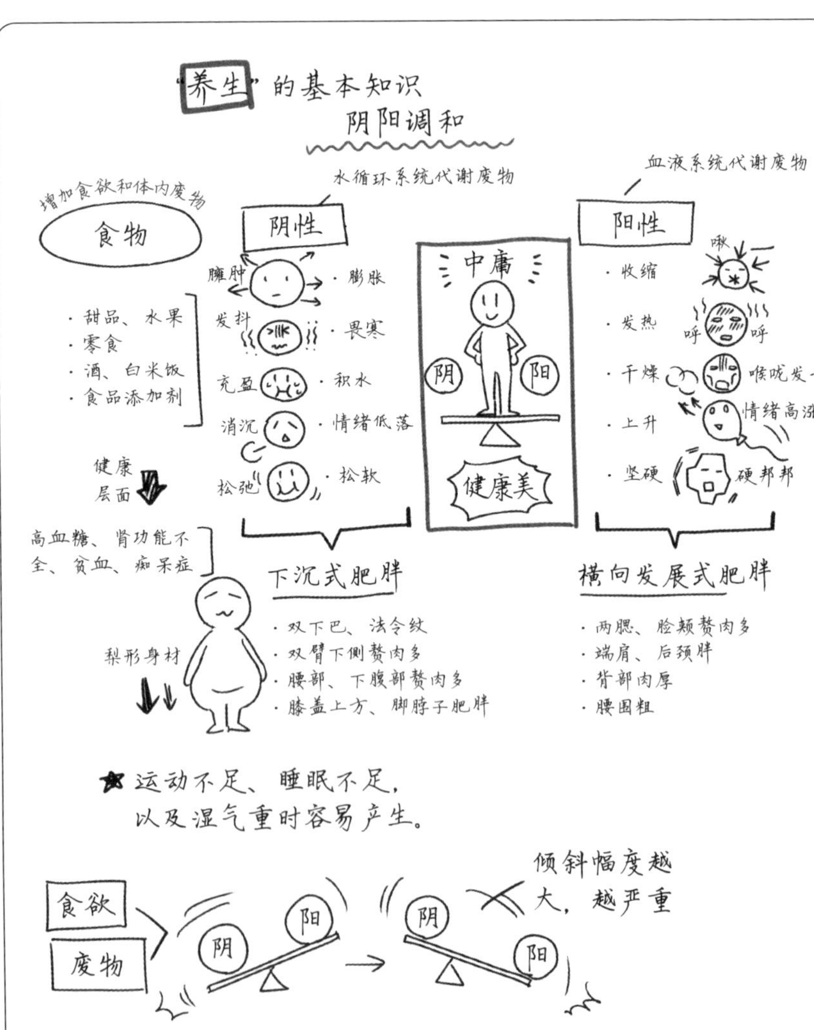

增加食欲和体内废物

食物

- 肉、蛋
- 乳制品
- 油炸食品

健康层面

高血压、动脉硬化、LDH胆固醇（低密度脂蛋白胆固醇）升高、脂肪肝

★精神压力大、更年期及夏季容易产生。

前面我已经多次讲过，维持身体内的阴阳平衡，是减肥成功的秘诀。我们先来确认一下“阴”与“阳”各自的特征。看看您的体形、身体状况、生活习惯是偏“阴”，还是偏“阳”。如果偏向一方太多，您的食欲就会增加，身体内的废物也会淤积，从而造成身体不适和肥胖的状况。**当阴和阳二者力量相当的时候，人的身体就进入了“中庸”的状态。在中庸的状态下，人的食欲正常、内脏充满活力、血液健康循环。**“自然瘦身力”，即基础代谢自然也就提高了。

在东方医学的理论中，认为**构成人体的要素有“气”“血”“水”。简单地说，“气”等于“生命能量”，“血”等于“流动的血液”，“水”等于“血液以外的水分”。上述三个要素如果能够正常循环的话，人就容易达到“阴阳平衡”的状态。反之，如果气、血、水的循环不畅，就会出现各种“不足”和“阻滞”，从而产生各种症状。**

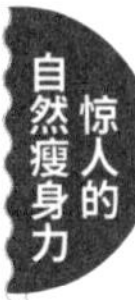

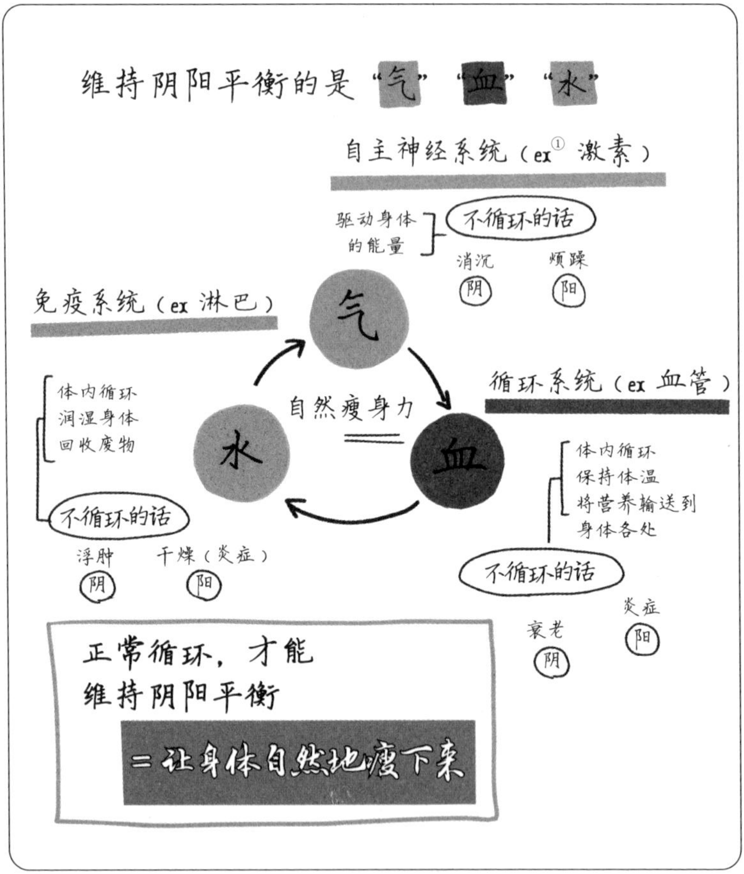

维持阴阳平衡的是"气""血""水"

自主神经系统（ex[1] 激素）

驱动身体的能量

不循环的话

消沉 阴　烦躁 阳

免疫系统（ex 淋巴）

体内循环
润湿身体
回收废物

不循环的话

浮肿 阴　干燥（炎症）阳

气　水　血

自然瘦身力＝

循环系统（ex 血管）

体内循环
保持体温
将营养输送到身体各处

不循环的话

衰老 阴　炎症 阳

正常循环，才能
维持阴阳平衡
＝让身体自然地瘦下来

① 英文单词"example"的缩写，意为"例子"或"示例"。——编者注

为了在最短的时间里瘦下来，首先得了解您的身体属于哪种类型

气、血、水循环不畅导致的不足或阻滞，会造就不同的体质。判断出自己是什么体质，就可以看出自己的身体是偏阴性还是偏阳性的。接下来我会列出一系列可供判断的项目，您可以借此判断自己属于哪种体质。

在此之前，我简单给大家介绍一下"**BMI（body mass Index，即身体质量指数）**"，因为这个指数在判断体质的时候经常用到。BMI是利用体重和身高计算出来，显示一个人是否肥胖的指数。BMI是一个国际指标，在体检中常会涉及，它的计算公式如下。

BMI= 体重 ÷ 身高^2（体重单位：千克；身高单位：米）

在日本，规定BMI超过25属于肥胖，18.5～25属于标准体重，18.5以下则偏瘦。根据全世界范围的统计数据来看，BMI值在21～22之间的人最为健康，寿命最长。

类型 1……气虚、血虚体质：气力、体力不足型 偏阴性

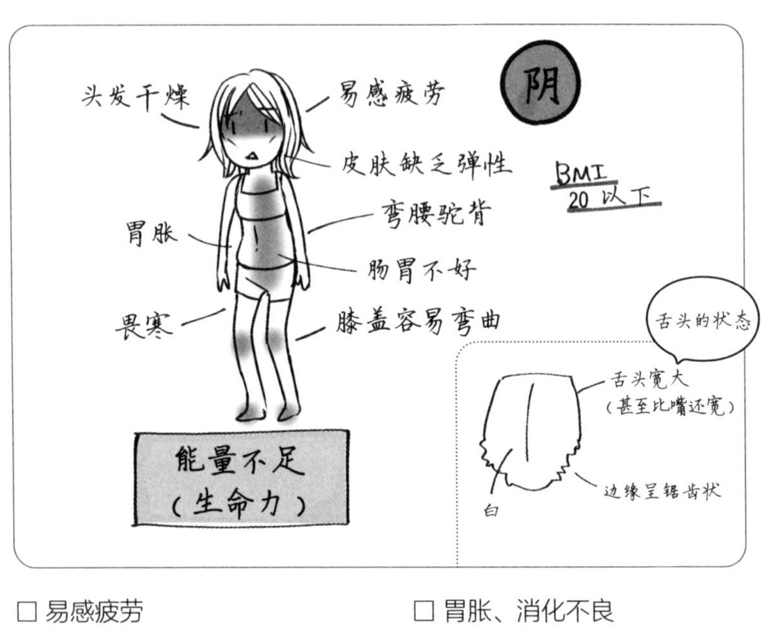

- □ 易感疲劳
- □ 容易感冒
- □ 全身发凉
- □ 舌头宽大，边缘呈锯齿状
- □ 容易滴滴答答流大汗
- □ 胃胀、消化不良
- □ 容易从睡眠中惊醒
- □ 上厕所次数多
- □ 健忘
- □ 大便偏软，腹泻次数多

这种体质的人，气、血不足，生命力不够旺盛。因为代谢水平比较低，所以摄入的食物不容易转化成营养，从而缺乏力气。这种体质的人不太容易发胖，BMI 一般在 20 以下。超过 20 的话，身体可能还会叠加其他类型的问题。

! 视力差、食欲不振、免疫力低下、易疲劳、脱发

类型 2……水滞体质：消沉虚胖型　偏阴性

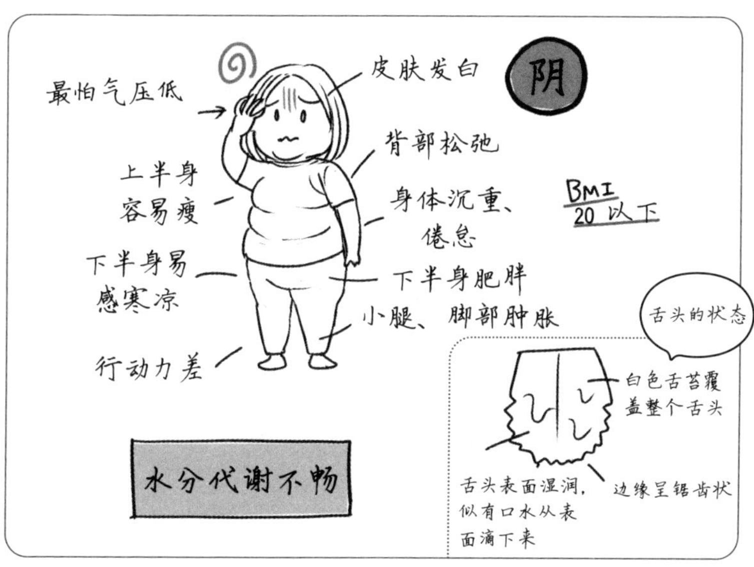

- □ 经常头晕
- □ 下雨天身体不舒服
- □ 身体沉重、倦怠
- □ 腿脚浮肿
- □ 容易晕车
- □ 下腹部寒凉且柔软
- □ 感觉胃中常有水在晃荡
- □ 皮肤易松弛
- □ 皮肤发白
- □ 舌头表面水分多，边缘呈锯齿状

这种体质的人，体内水分过剩，从而导致身体膨胀。体内多余的水分让半规管（耳内感受器官）和神经变迟钝，带来倦怠感，甚至产生恶心反胃的感觉。另外，水分还会让体温变低，使基础代谢水平下降。水滞体质的朋友，BMI 超过 23 的居多。

⚠ 眩晕、恶心、腹水（腹腔积液）、浮肿、痛经、肾病

类型 3……中庸体质：健康均衡型

阴 阳 平 衡

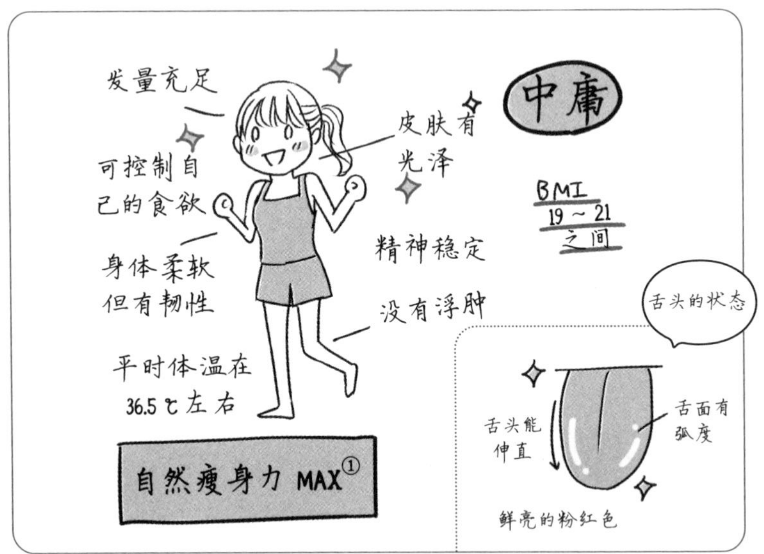

在所有其他类型体质对应的症状中，只有两条以下，就属于健康均衡的中庸型体质。

中庸体质的人，气、血、水都可以正常循环，基础代谢水平也比较高。BMI 一直保持在 19 ~ 21 之间。

这种体质的人，皮肤和头发充满光泽，平时的体温在 36 ℃以上，所以很少会畏寒。而且，这种人的判断力和自制力很强，能够控制自己的食欲，只吃身体需要的食物，且控制在必要的量以内。

遇到意外或困难场面的时候，这种类型的人能够集中注意力，情绪也能很快稳定下来。

---

① 数学用语，指某一指定数组范围中的最大值。——编者注

类型④……气滞体质：压力肥胖型 偏阳性

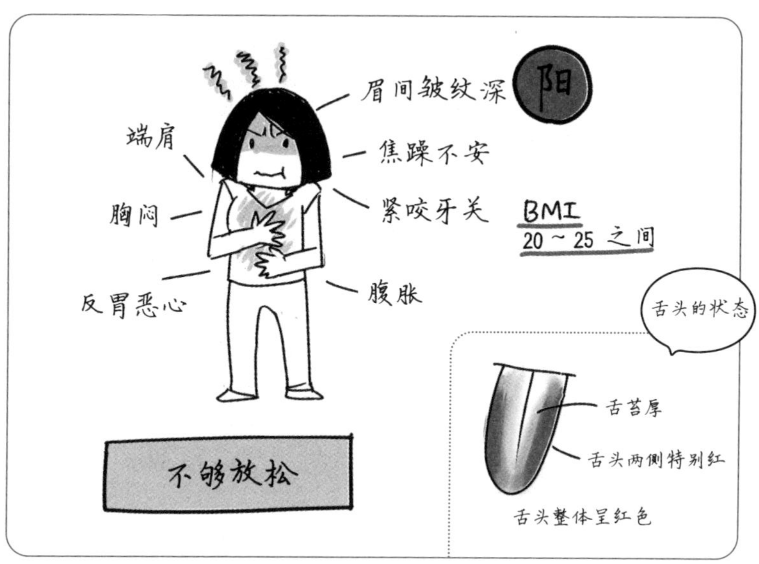

- ☐ 焦躁不安的状态比较多
- ☐ 打嗝或放屁比较多
- ☐ 腹胀
- ☐ 反胃恶心
- ☐ 没感冒但会咳嗽
- ☐ 入睡困难、多梦
- ☐ 容易被小事情扰乱心绪（心烦意乱）
- ☐ 容易便秘
- ☐ 胸口有被堵住的感觉
- ☐ 舌头两侧特别红

气滞体质，属于精神压力较大且长期累积压力的类型。“气”停滞在身体上部，容易感觉胸口发闷。这种体质的人，BMI 一般在 20 ~ 25 之间，常因精神压力大而过度饮食。也有的人会感觉到闭塞感，睡觉时常会紧咬牙关，还会出现过度呼吸的情况，造成空气在身体内的滞留。

! 上火、更年期症状、自主神经失调、反流性食管炎

类型 5……血瘀体质：血液黏稠型 偏阳性

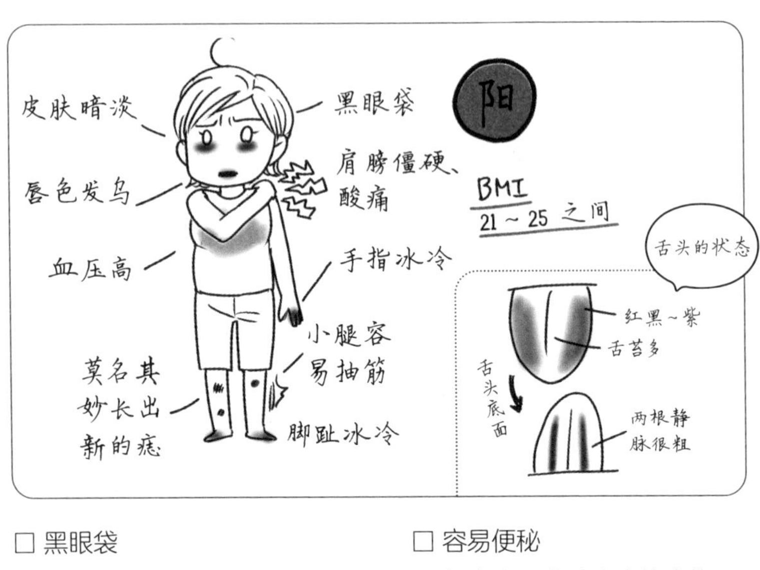

- □ 黑眼袋
- □ 头痛
- □ 肩膀僵硬、酸痛
- □ 腿上容易出现静脉瘤
- □ 手足冰冷
- □ 容易便秘
- □ 经常出现皮肤瘙痒的症状
- □ 脸部肤色暗淡
- □ 牙龈呈暗红色
- □ 容易长痣

如果吃太多肉，且运动不足的话，我们的血液里就会累积很多代谢废物，容易形成血瘀体质。“疼痛、僵硬、暗淡”是血瘀体质的显著生理特征。这种体质的人，BMI 一般在 21 ~ 25 之间。因为血液循环不畅，女性往往还伴有各种妇科问题或身体不调。要净化血液需要较长的时间，所以这种血瘀体质的肥胖者，比阴性体质的肥胖者更难瘦下来。

! 动脉硬化、神经痛、风湿病、PMS[①]、子宫肌瘤、肝炎、胃炎

① 即 Premenstrual Syndrome，经前期综合征。——编者注

类型 6……湿热体质：怕热肥胖型

偏阳性

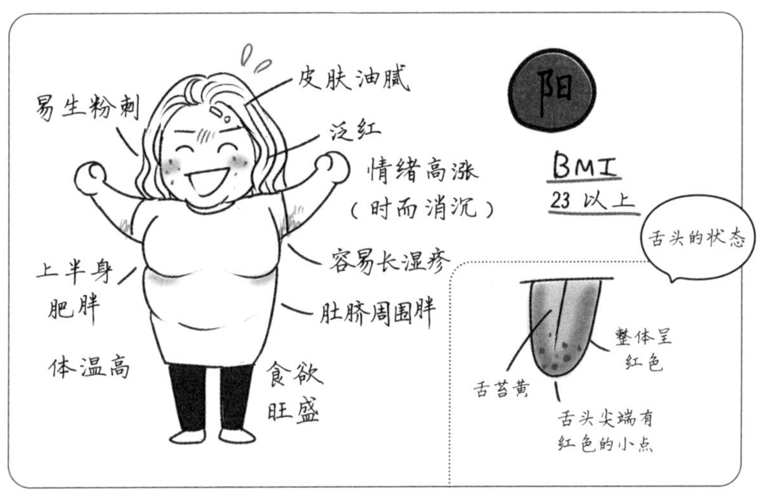

- □ 怕热，易出汗
- □ 容易长粉刺、小脓包
- □ 口腔干、黏
- □ 鼻子、额头比较油
- □ 伤口不容易愈合
- □ 脸颊泛红
- □ 舌苔黄且厚
- □ 情绪起伏较大
- □ 大便气味浓
- □ 喜欢喝凉的饮料

前面介绍了血液循环有问题的“血瘀体质”和水分循环有问题的“水滞体质”，“湿热体质”则是结合了上述二者的问题。这种体质的人爱吃、能吃，所以 BMI 一般在 23 以上。因为血液循环有问题，身体易发热，体内的水分在蒸发的时候把汗、油脂和废物带到了皮肤表面，容易形成湿疹。而且他们的情绪不太稳定，起伏比较大。

! 糖尿病、高血压、心肌梗死、胆结石、脂肪肝、抑郁症

表 1 6 种类型体质的比较

	阴性		中庸	阳性		
体质	气虚、血虚	水滞	中庸	气滞	血瘀	湿热
气	×（不足）	△	○	×（瘀滞）	△	○
血	×（不足）	△	○	△	×（瘀滞）	×（瘀滞）
水	△	×（瘀滞）	○	△	△	×（瘀滞）
类型	气力、体力不足	消沉虚胖	健康均衡	压力肥胖	血液黏稠	怕热肥胖
BMI 标准	低于 20	高于 23	19 ~ 21	20 ~ 25	21 ~ 25	高于 23
体温标准	低	低	中~高	低	低	中~高

气虚、血虚：体力不足

水滞：水循环系统代谢废物多

气滞、血瘀、湿热：血液系统代谢废物多

* 低：35.0 ～ 36.0°C
* 中：36.0 ～ 36.5°C
* 高：36.5°C

现在您应该能够判断出自己的身体属于哪种类型了。接下来，我将为您介绍发挥“自然瘦身力”的养生窍门。这些窍门简单易行，任何人都可以实践，帮您的身体自然而然地达到“中庸”的健康状态。

其实，养生并不需要做什么特殊的训练，**只要对日常生活习惯稍微加以改变，就能收获意想不到的效果。根本不需要勉强自己，也不需要刻意锻炼肌肉，更不需要实践绝食之类的极端行为。**

需要努力的并不是您，而是您体内的血液、内脏、神经等。您的工作只是为它们打造一个适合努力的环境，这样就够了。

这样的养生过程，一定是心情愉快的。因为遵守自然规律生活的人，一定会获得健康、舒适、愉悦和美。

具体请见后面的 6 个章节，我将从 5 个方面为您介绍多种养生保健方法，每一种都简单易行，在日常生活中就可以完成。

饮食、运动、睡眠……在您觉得合适的时间，从自己喜欢的事情做起就 OK！

伙伴们，加油干！
气
血
水
养生很简单！
不需要您自己努力！！！
跑步
绝食
① 饮食养生
阴
阳
根据自己的体质，采取阴阳平衡的饮食方式
② 疗愈养生
按摩按摩
阴
阳气下沉
放松
暖烘烘
阳
阴气上升
体力恢复
阴
阳
③ 感受养生
阴
山
令人放松
海
让人元气满满
阳
④ 运动养生
阳
阴
放松
散步
卡拉 OK
⑤ 睡眠养生
深度睡眠
阳
醒来很爽快
阴
中庸
自然变瘦了！！！

本书后面的部分由 6 章构成，一共介绍了 82 种养生的方法，读者朋友可以根据自己的体质选择合适的方法进行实践。

● 第一章、第二章——饮食养生

驱动人体运转的气、血、水，与我们摄入的“食物”和呼吸的“空气”息息相关。通过饮食来改变气、血、水的方法，可以分为“有意识的领域”和“无意识的领域”。

“有意识的领域”包括对食材的选择和摄入的时间等。特别是对食材的选择，可以根据“阴阳”“寒温”进行选择。“无意识的领域”主要指消化器官的运转。我们的消化器官（胃、肠、肝脏、胰脏）把食物变成“营养”，但超出自身代谢能力的营养，则会成为使我们发胖的“能量”储存在身体中。那么，采用提高自身代谢能力的饮食方法，正是获取“自然瘦身力”的重要因素。

因为饮食养生的方法很多，所以我分了两章为大家讲解，第一章讲“怎么吃”，第二章讲“吃什么”。

第二章的内容，是在“平日”“日常”或“调整身体的日子”里的食谱（关于“平日”的定义，我会在第一章第 7 节进行详细解说）。这些菜谱几乎适用于每一天，大家可以从力所能及的事项做起。

● 第三章——疗愈养生

驱动我们的身体的所谓“气”，是指遍布我们体内的循环通路，比如“淋巴管”“自主神经”“经络”等。如果体温过低，或者通路狭窄，就会妨碍“气”的循环，造成“气滞”。

“气滞”是造成体内垃圾（代谢废物）滞留体内的根本原因之一。“血瘀”也是同样的道理，血液循环不畅，也会让代谢废物滞留在体内。

按摩、温热疗法等，从广义上讲都属于“疗愈”的范畴。通过按揉身体，拓宽循环通路，通过温热身体使人身心放松，自然可以使“气”和“血”顺畅循环起来。第三章就为您介绍促进气血循环的方法（同时也会穿插一些有关饮食养生的知识）。

双臂和双腿发胖，就是代谢废物淤积于体内的表现。如果气血循环顺畅了，双臂和双腿就会变瘦，线条也会变漂亮。另外，通过疗愈改善气循环，可以提高睡眠质量，促进激素分泌的平衡，给人带来安宁的情绪。

● 第四章——感受养生

人的内心和身体，也会随季节的更替进行循环。平时，您有没有特别想去的地方？这个地方也许就蕴含着很多可以帮您“调节阴阳平衡”的因素。大自然也存在“阴阳”，我们想去的地方，就存在我们自身缺少的阴阳因素。例如，“想去爬山（阴）→ 精神压力大”“想去看海（阳）→ 想获得更多元气”。

另外，在四季分明的地方，随着季节的变化，人的“情绪”也会发生明显的变化。而情绪和内脏也有一定的关联性。

总体来讲，不同的季节，容易给人带来不同的情绪，而不同的情绪又会影响不同的内脏器官。也就是说，不同的季节、情绪，我们内脏的状态也不一样。所以，我们要根据季节、情绪，对自己的内脏状

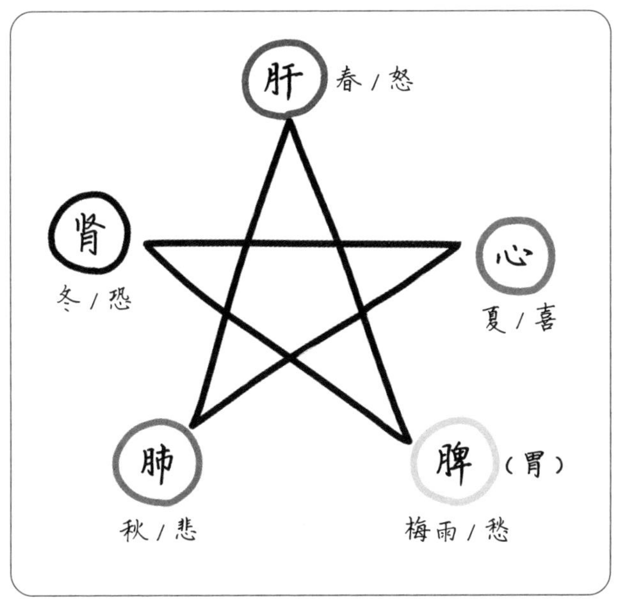

图 1 东方医学中的五脏关系图

态进行“感受养生”调养。通过调养，帮助内脏恢复到最佳状态，从而发挥出身体的自然保健力，那么自然地瘦身也就不在话下了。

- 春 / 怒：影响肝
- 夏 / 喜：影响心
- 梅雨 / 愁：影响脾（胃）
- 秋 / 悲：影响肺
- 冬 / 恐：影响肾

上图显示的是东方医学中五脏的关系。如字面意思，“肝”指肝脏，“心”指心脏，“脾（胃）”指脾脏和胃，“肺”指肺脏，“肾”指肾脏。

不过，在东方医学中，某些称谓所包含的器官范围会更宽泛一些。比如，“脾”所指的范围除了脾脏，还包含胰脏和十二指肠。另外，东方医学还把“脾”和“胃”视为相关联的两个脏器（严格来讲，这种说法不够严谨，但我们大体可以这样理解）。

所以，我们可以把“肝”理解为肝脏，“心”理解为心脏，这样不会有大的偏差，但心中也要有一个认识，东方医学中的称谓，可能包含更广泛的内容。后面遇到的时候，我会给大家详细讲解。

● 第五章——运动养生

很多朋友认为，只要人运动起来，就肯定会瘦，但这其实是一个天大的误解。我们运动身体的目的是提高身体的机能，而不是消耗身体，让身体“瘦下来”。

为了提高身体的机能，让“骨头活动的地方”（即大关节）变得顺畅，是非常重要的一点。因为骨头活动的地方最容易淤积代谢废物，从而让骨头活动的空间变小，使相连部位变胖。举例来说，如果肩关节淤积了太多代谢废物，两个大臂和背部就容易长出赘肉。日本有一种说法叫“四十肩、五十肩”，就是说人到了四五十岁，肩关节容易出问题，比如肩周炎之类的。很多四五十岁的人，因为肩关节的问题，抬手臂都有困难。

因此，如果能够解决“骨头活动的地方（大关节）”的问题，我们身体的活动幅度也会随之变大，那么一天之中消耗的热量就会增加。

让呼吸变缓慢的运动、让人感受到轻快节奏的运动，可以促进血清素的分泌（血清素被称为“生命活动的指挥者”，也叫“幸福激素”）。同时，这样的运动还有改善“自主神经（气循环）”的效果。

● 第六章——睡眠养生

睡眠，被称为“生命的修复时间”，对所有动物来说，睡眠都是非常重要的生命活动之一。在睡眠的过程中，我们的大脑得到净化、记忆被整理；消化器官将摄入的食物转化为营养；细胞也进行修复。气、血、水的循环会被修复到最佳状态，身心机能都得到维护。

有些朋友入睡困难、容易在睡眠中途醒来，或是睡眠质量不高，就会让身心得不到充分的维护。虽说人的睡眠质量会受到短期精神压力的影响，也会随着年龄的增长而逐渐变差，但只要一晚的睡眠质量不高，第二晚也往往会睡不好，睡眠有一种恶性循环的倾向。遇到睡眠问题的时候，我们必须想办法采取对策，那么首先必须了解睡眠的原理和保证高质量睡眠的诀窍。

喜讯连连！

小柴妈妈

46 岁 / 老年人护士

BEFORE（之前）

体重 64kg

体脂率 50%左右

AFTER（之后）

体重 54kg

体脂率 23%左右

我之前拼命锻炼身体、控制饮食，也不见瘦身成果，在看了艾莉小姐的视频后，开始进行拉伸练习和按摩，改变了饮食习惯，不知不觉间就瘦了下来。而且，以前一直困扰我的头痛也消失了，身体出问题的次数越来越少，情绪也稳定了许多。周围的人纷纷赞美我："你变瘦了！""年轻了好多啊！"

惠理子女士

63 岁 / 打零工

BEFORE（之前）

体重 66kg

体脂率 36.2%左右

AFTER（之后）

体重 53.1kg

体脂率 26.7%左右

按照艾莉小姐的方法开始保养后，身体的变化让我吃惊，于是我开始跟着她学习。后来，由于腱鞘炎发作，我基本上没办法锻炼，但可以改变饮食。我用红豆茶和香草茶替换了以前喝的白开水，进行 12 小时轻断食，用糙米替换了精米，喝无添加的豆酱汤，吃萝卜干等，坚持了一段时间，我的体重竟然轻了 10 公斤！真的由衷感谢艾莉小姐，以后我也要追随她，跟她学习养生的方法。

熊子女士

45 岁 / 家庭主妇

BEFORE（之前）

体重 106kg

体脂率 50%左右

AFTER（之后）

体重 51kg

体脂率 23%左右

两年半以前，我开始每天 16 小时轻断食，坚持一年半后，我又接触到了艾莉小姐的养生减肥法，就跟着她实践。结果成功减重 55 公斤！

这个经历让我认识到，“吃”本身并没有错，但是吃的东西不对的话，人就会发胖。瘦身成功的我，现在眼里的景物也由原来的黑白两色变得五彩斑斓了。我也鼓起了挑战人生的勇气，准备过丰富多彩的生活。

Rita 女士

36 岁 / 家庭主妇（偶尔打零工）

BEFORE（之前）

体重 60.3kg

体脂率 31.6%左右

AFTER（之后）

体重 54.4kg

体脂率 26.7%左右

一开始，我因为特别讨厌自己满是赘肉的大臂，所以开始改变饮食结构，把每天吃的白米饭换成了糙米饭，还会喝温热的茶水。总之，并没有勉强自己去瘦身。可没想到的是，不仅两条胳膊变细了，体重也降了下来。这样的养生生活真的让我受益匪浅！做饭的时候，我改用了无添加的食材，调味料也使用纯天然的，这个过程我没有“勉强自己”，也不需要“努力”做什么事。轻松地就获得了健康、美丽。是艾莉小姐帮我养成了这样健康、轻松、可以坚持一辈子的生活习惯。所以我要衷心地感谢艾莉小姐！

Kaori 女士

55 岁 / 公司职员

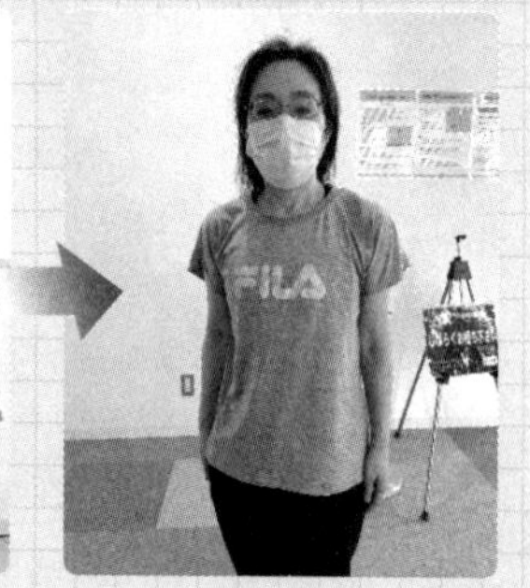

BEFORE（之前）

BMI 28

AFTER（之后）

BMI 21.5

在我开始喝红豆茶仅仅 1 个月后，体重就减了 2.5 公斤，这让我对艾莉小姐的养生瘦身法产生了信任。从此我开始正式实践她的养生瘦身法。这个瘦身过程没有一点痛苦，很轻松。

H.K 先生

49 岁 / 公司经营者

BEFORE（之前）

体重 89kg

血压 134/75mmHg[①]

AFTER（之后）

体重 73kg

血压 107/67mmHg

以前我每周要在外面用餐三四次，在家吃晚饭的话，白米饭都要吃一碗，还是大碗。虽然那时我也去健身房锻炼，还吃蛋白粉补充蛋白质，但体重不降反增。后来我接触到了艾莉小姐的养生瘦身法，开始把白米饭换成糙米饭，每天进行 12 小时轻断食，坚持下来没有一点痛苦，也不用勉强自己。而且我基本上戒掉了甜食。不管是节假日还是平时，我的身体状态都很不错。一段时间后，不仅体重减轻了，血压也降了下来。这个结果让我惊喜异常。

① 血压的计量单位，指毫米汞柱。——编者注

S.H 女士

51 岁 / 公司职员（事务工作）

BEFORE（之前）

体重 59.7kg

体脂率 28.6%左右

AFTER（之后）

体重 51.2kg

体脂率 23%左右

我从 45 岁开始减肥，尝试了各种方法，结果都失败了。但实践了艾莉小姐的养生瘦身法后，仅仅两周时间我的体重和身体线条就发生了革命性的变化！太令人吃惊了！我只是把吃的精米换成了糙米，多喝茶，吃无添加的调味料，身体的状况就发生了翻天覆地的变化。颈椎病、头痛是我长年工作落下的职业病，养生瘦身法让我永远告别了这些职业病。便秘也不再来困扰我。看到我身体的变化，周围的人都追着问我用了什么秘方（笑）。我把艾莉小姐的养生瘦身法告诉他们，不少人在实践后也获得了成功。

优女士

45 岁 / 公司董事

BEFORE（之前）

体重 70kg

AFTER（之后）

体重 61.3kg

以前，我因为太胖，身体状况很差，经常出现各种问题，于是我开始寻找保健饮食方法。一个偶然的机会，我看到了艾莉小姐的养生瘦身法，跟着做下来，惊讶地发现自己的体重在迅速地下降。主食由白米饭换成了添加各种谷类的糙米饭，配菜是萝卜干、煮海带、鱼干、生姜、纳豆、大酱汤等。在节假日，我允许自己放纵一下，体验丰富多彩的生活，但在平日，作为调整日，我会按照艾莉小姐的养生瘦身法对身体进行保养。她的方法很轻松，一点不用勉强自己，减肥也没有任何痛苦，可持续性很强。

Saika 女士

49 岁 / 保育员

BEFORE（之前）

体重 65kg

BMI 28.15

AFTER（之后）

体重 45.5kg

BMI 19.44

因为疫情，身高只有 153 厘米的我体重一度涨到了 65 公斤。体检的时候，医生说我太胖了，于是我开始减肥。我用自己的方法减掉了 5 公斤，但之后就遇到了瓶颈，再也减不下去了。这时，我有幸看到了艾莉小姐的视频，开始采用她的方法进行养生瘦身。我尝试吃糙米饭、喝香草茶、练瑜伽等。就这样轻轻松松地生活，10 个月过后，我又瘦了 15 公斤。总共减重 20 公斤！现在，我号召全家人都和我一起过养生的生活，结果大家的身体都有了明显的起色。我们都爱上了这种生活方式，今后会一直保持下去。

游女士

56 岁 / 个体经营者

BEFORE（之前）

体重 58.5kg

服装尺码 11号

AFTER（之后）

体重 47.2kg

服装尺码 7号

以前我很喜欢喝牛奶咖啡，每天要喝好几杯。当意识到自己太胖开始养生瘦身之后，我戒掉了牛奶咖啡，改喝红豆茶，又通过练瑜伽、按摩等方法，把体重减到了 50 公斤以下。时隔 40 年，我的体重又回到了 40 多公斤。而且仅用 1 年时间，我的胆固醇值就由 333mg/dl[①] 降到了 246mg/dl。以前我对甜食有重度依赖，而现在我能控制自己每周只在周六吃甜食。我对自己的这股毅力都感到吃惊！因为回归了苗条的身材，我又可以穿好看的衣服了，我还给自己报了舞蹈班，让自己的生活更加丰富多彩。总之，现在的我比以前更加有生气、更明快，整个人生都变好了。艾莉小姐是我的恩人！

① 浓度单位，毫克每分升。——编者注

(EAT)

第一章

饮食养生 1

仅仅改变饮食方式，就可以自然瘦身

ADVICE 01

“自然瘦身力”九成依靠内脏机能
保持“12 小时空腹”维护消化器官

确信可以调节：食欲、血糖值、胃胀（消化不良）

适合体质

该做的事

晚上到第二天早晨，“12 ~ 16 小时”不进食

例 晚上 8 点吃完晚饭→第二天早晨 8 点以后吃早饭 =12 小时轻断食

晚上 9 点吃完晚饭→早晨只喝饮品→ 12 点吃午饭 =15 小时轻断食

☺ 轻断食期间可以摄入

- 不含糖茶
- 黑咖啡
- 不含添加剂的大酱汤
- 梅子粗茶
- 梅子海带茶

以及其他不甜的饮品

☹ 轻断食期间不可以摄入

- 果汁、蜂蜜水等有甜味的饮品
- 固体食物

※ 如果实在太饿的话，可以吃 10 粒素烧坚果。

让消化器官休息，提高内脏代谢的活力

“消化器官（胃、肝脏、胰脏）”的代谢活动，占据了内脏代谢活动的四成以上。从食物进入嘴里，到它们在胃里被消化，需要 8 ~ 10 小时。再到食物进入肠道被吸收，被肝脏解毒，需要大约 12 小时。

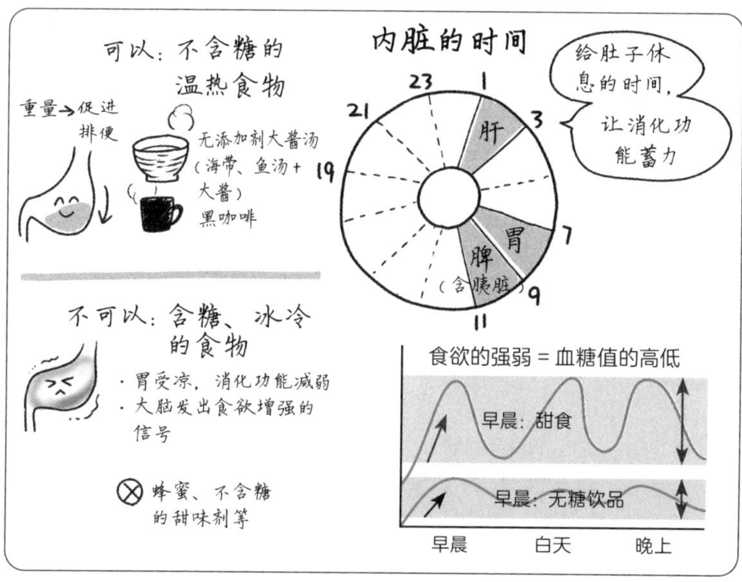

如果不让消化器官休息，让它们不停地工作的话，胃会出现炎症，使人食欲倍增，造成胃炎、反流性食管炎等。肝脏无法彻底解毒，淤积的“毒素”会直接导致身体发胖。

东方医学理论认为，“肝”在凌晨 1 ~ 3 点，胃在早晨 7 ~ 9 点处于活跃状态。**若在这段时间能够做到不进食的话，就能减轻消化器官的负担，让它们发挥“自我恢复机能”。另外，早晨不接触糖的话，我们一整天的食欲都会受到抑制。**

ADVICE 02

身体可以自主生成胃药

咀嚼食物的同时念 3 遍“谢谢”

确信可以调节：食欲、血糖值、胃胀（消化不良）、自主神经

适合体质

水滞

气滞

血瘀

吃饭最初的 3 口（仅限最初 3 口），应该咀嚼 30 次以上

例 头脑中一边默念“感谢老天爷赐给我食物”（10 个字，每念 1 个字嚼 1 次），重复念 3 遍，等于咀嚼了 30 次。

为什么要这样做?

▶ 咀嚼会促进唾液的分泌，唾液中含有消化酶——唾液淀粉酶。

▶ 咀嚼是一种有节奏的规律运动，可以刺激自主神经的指挥者——血清素——的分泌（阳→ 中庸）。

唾液是减肥的强力武器

名叫“唾液淀粉酶”的消化酶，是分解食物的重要物质，主要由唾液腺和胰脏分泌。吃饭的时候，**不细嚼慢咽的话，就会增加胰脏的负担，减弱消化能力**。

另外，**狼吞虎咽地吃饭，还会使“饱腹中枢”变得迟钝，容易不自觉地吃撑**。所以，吃饭时的最初 3 口，如果能做到细嚼慢咽的话，就可以抑制吃饭的兴奋感，减缓吃饭的速度。（阳→ 中庸）

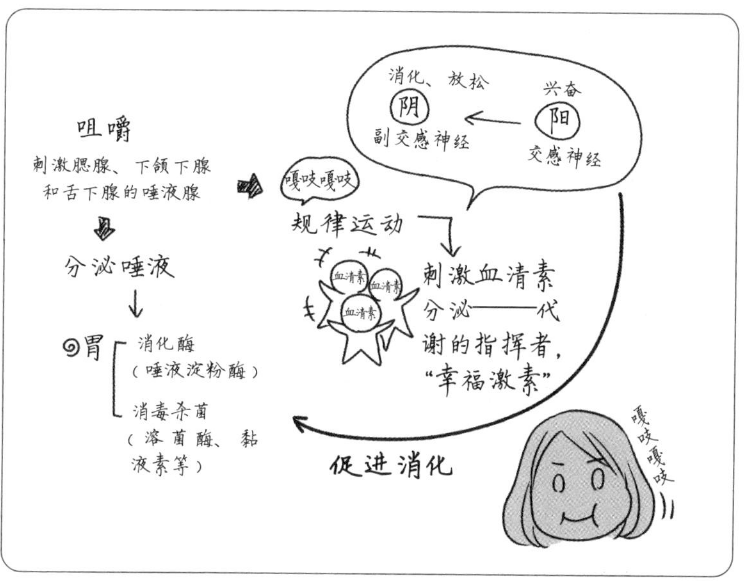

咀嚼是一种有节奏的规律运动，可以刺激血清素的分泌。血清素可以使人平静，能够有效防止因为精神压力大而造成的过度饮食。东方医学认为：“**唾液是天然的胃药。**”在胃胀、不消化的时候，细嚼慢咽地吃饭，可提高消化系统自然恢复的能力。

暖胃的餐前准备

先喝汤再吃菜

确信可以调节：食欲、血糖值、胃胀（消化不良）

适合体质

气虚 血虚

水滞

气滞

血瘀

湿热

该做的事

每餐要配汤（简单的大酱汤就很好），先喝 5 口汤再吃菜。

例 先喝 5 口蘑菇大酱汤→ 再吃蔬菜

为什么要这样做?

▶ 用热汤暖胃，激发胃的活力

▶ 水分进入胃里，抑制食欲

▶ 减缓血糖值升高的速度

可以

- 大酱汤
- 鸡骨汤（阴→ 中庸←阳）

不可以

- 很浓的肉汤
- 西式奶油浓汤

先喝大酱汤带来的“安心感”

常见的减肥饮食法一般推荐大家在吃饭的时候先吃蔬菜，但更有效的减肥饮食法是“**先喝汤再吃菜**”。

吃饭的时候，如果先吃**西式“沙拉”或者日式“凉菜”**，胃会更凉。而且，为了调味，沙拉或凉菜往往会添加含糖调料或者氧化的脂肪，这些物质会使代谢废物淤积在身体里，从而让人发胖。

但是也有不太健康的汤，比如很浓的肉汤、西式奶油浓汤等，所以还是**推荐大酱汤**。饭前喝温热的大酱汤，既可以暖胃、提高消化器官的活力，又可以制造饱腹感、抑制食欲，一举两得。

为了减轻消化负担，建议大家不要在大酱汤里加肉，而是煮蔬菜大酱汤。现在市面上有方便大酱汤料包出售，只要用开水一沏就可以喝，很方便。

ADVICE 04

让胃收缩——破坏消化过程的坏习惯

吃饭时不要喝冰水

确信可以调节：浮肿、消化问题、胃胀、妇科问题

水滞

气滞

该做的事

不要喝“冰水”。如果非要喝冰水，请先含在嘴里给冰水加温，同时做咀嚼动作（5 秒），让唾液分泌出来。

可以	不可以
· 热汤、热茶	· 冰水

为什么要这样做?

▶ 冰水会冲淡胃酸，减弱消化能力。
▶ 会使胃的温度急速下降，容易引起炎症，积累内脏脂肪。
▶ 胃对“水”的消化能力原本就比较弱。

后续护理

在饭店聚餐的时候，很多饭店会提供冰水，而且聚餐时难免要喝一点冰啤酒或其他冰镇饮料。作为后续护理，第二天要延长空腹的时间。空腹的时间可以让胃得到休息，抑制炎症的产生，或者让其自行治愈炎症。空腹的时间以 14 ~ 16 小时为宜。

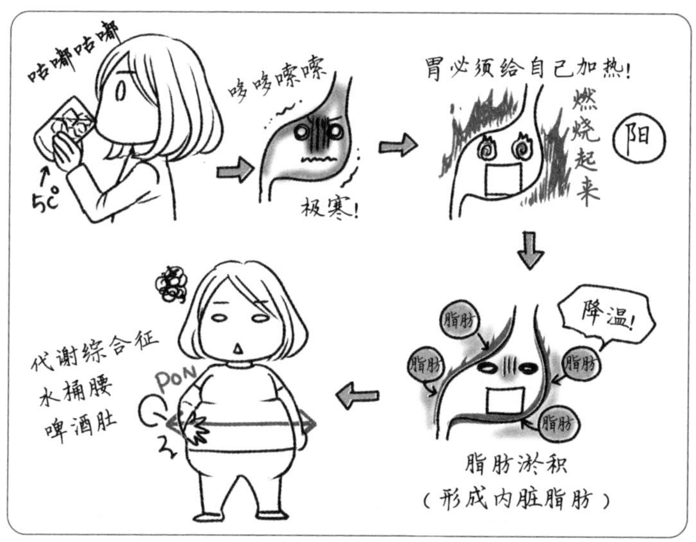

冰水是造成脂肪淤积的恶性循环的起点

冰镇饮料会使我们的胃急速降温。通常情况下，当食物进入胃里之后，只有把食物加热到和胃的温度相当，胃才能开始对它们进行消化。当我们喝冰镇饮料后，胃会降温，它要正常工作，就要先把自己加热到正常温度。而加热是需要“热量”的。热量太多的话，**胃又会升温过度，为了降温，又会淤积很多脂肪，从而形成内脏脂肪。**

另外，喝冰水（阴）会增加人对肉类或油脂食物（阳）的食欲，而摄入的这些脂肪凝固起来，会使血液变得黏稠，还会让脂肪细胞肥大化。所以说，**冰水是造成体内脂肪淤积的恶性循环的起点。**

如果您朋友多，经常出去聚餐，那么每周喝两次冰镇饮料还可以接受，但之后一定要注意平日的保养。非喝不可的时候，可以把冰镇饮料含在嘴里，先加温，同时**做咀嚼的动作，促进唾液的分泌**，以保护自己的胃。

ADVICE 05

判断能力降低
傍晚不要靠近超市的甜食区

确信可以调节：精神压力大造成的食欲增加、过食、浮肿

适合体质

该做的事

○制作一份选购食材的清单。

○确定平日晚餐的菜单。

○傍晚走到卖场甜食区的时候，要在 5 秒以内迅速离开。

为什么要这样做?

▶傍晚，因为操劳了一天，大脑也处于疲惫的状态，这时人的判断力是比较低的（血糖值低），导致的一个结果就是自制力变弱。于是，人容易选择“糕点”“甜品”“带甜味的菜品”“酒类饮料”等（甜食、酒类：阴性→放松、松弛、降温→血糖值升高）。

▶在大脑处于疲劳状态的时候，人容易被惯性观念束缚，为了消除精神压力，会放弃原则，选择简单的方法。

为什么白天能控制自己的食欲，到了晚上却容易暴饮暴食呢?

傍晚下班，在回家的路上我们有可能去超市或便利店逛一逛，但这时**一定要提醒自己：“现在我的判断力比较低！”**心理学认为，判断力等同于意志力。大脑的糖分减少，人的自制力就会下降。

如果中午吃的食物含糖量较高，让血糖值升到了一个较高的水平，那么到傍晚的时候，血糖值就会降到相对较低的水平，甚至引起"低血糖"，从而使人的判断力下降。所以**在晚上下班购物的时候，一定要控制住自己，只买需要的物品**。最好**事先列一个购物清单，保存在手机的记事本里**，在逛超市时按照这个清单购物，就能有效防止买到不该买的食物。

在充满诱惑的卖场中停留太长时间的话，我们的大脑就会自动搜索购买的理由。一旦大脑想出购买的理由，我们就能逃脱控制了。所以，不要给大脑足够长的时间思考，走到甜食区的时候，一定要**在5秒以内迅速离开**。

恢复全身能量

疲惫的时候，不吃！不动！就睡觉

确信可以调节：疲劳感、浮肿、消化问题、胃胀

适合体质

水滞

气滞

血瘀

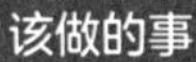

○ 在疲劳困乏的日子中，要控制油炸食品、肉类、酒的摄入量。

○ 炖菜、米饭，最好咀嚼 30 次以上（嚼成粥状）。

○ 避免长时间泡澡，不要进行汗如泉涌的剧烈运动。

为什么要这样做？

▶ 不让疲劳留存在肝脏中，恢复体力，恢复全身能量。

▶ 和大汗一起流出体外的还有“气（体力）”。

疲劳可以分为 3 种

疲劳可以分为 3 种，分别是：**（1）思考、烦恼给我们带来的“精神疲劳”；（2）使用身体造成的“肉体疲劳”；（3）消化、解毒造成的“肝脏疲劳”**。大量吃油炸食品、肉类，喝很多酒，会给肝脏带来严重的负担。肝脏疲劳消除不了，就会影响我们在睡眠中对“肉体疲劳”和“精神疲劳”的恢复。结果造成新陈代谢长期处于较低水平。

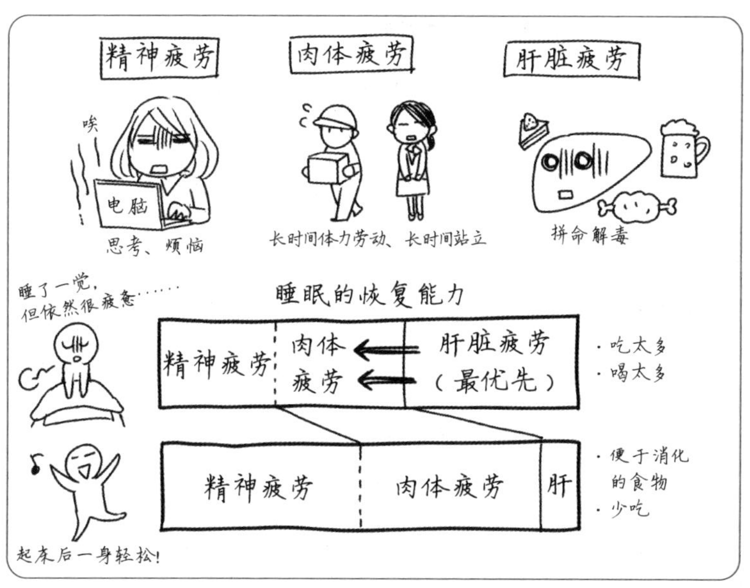

所以，**我们在疲劳的时候，应该避免摄入不好消化的食物，减轻肝脏的负担，把身体的恢复能力分配给“肉体疲劳”和“精神疲劳”**。那么如何调节疲劳的肝脏呢？可以从夜晚到白天进行 12 小时的断食，空腹的时间，就是肝脏恢复的时间。另外，还要避免进行剧烈的运动，因为大量出汗的同时，“体力（气）”也会随之流失。所以，疲劳时不能进行剧烈的运动，可以进行轻微的运动，稍微出汗，**让身体升温即可**。泡澡也不能泡太久，让身体温暖起来就行了。

ADVICE 07

每天都感觉良好

减肥的关键是可持续性，强迫自己难以持久

确信可以调节：疲劳感、精神压力、消沉

适合体质

该做的事

○区分开“享受的日子”和“保养的日子”。

（享受的日子 = 适度放纵的日子 / 保养的日子 = 平常的日子）

○在保养的日子摄入调整内脏机能的饮食。

○保养的日子最好是连续的 2 ~ 3 天（每天最好）。

○在享受的日子，可以吃自己想吃的食物。

为什么要这样做?

▶ 给思考和生活习惯制定规则后，人对诱惑的抵抗能力会更强，不用为吃什么、不吃什么而感到烦恼。

▶“保养的日子”持续 2 ~ 3 天的话，我们的味觉就会被“重置”，帮我们摆脱对某些食物依赖性的食欲。

味觉改变，食欲也会跟着改变

大家都知道，甜食和油脂丰富的食物是减肥的绊脚石，很多减肥的朋友都想戒掉这两样食物。有人会采用每天少吃一点的方法，希望能循序渐进地戒掉甜食和油脂丰富的食物。但是，如果摄入频率较高

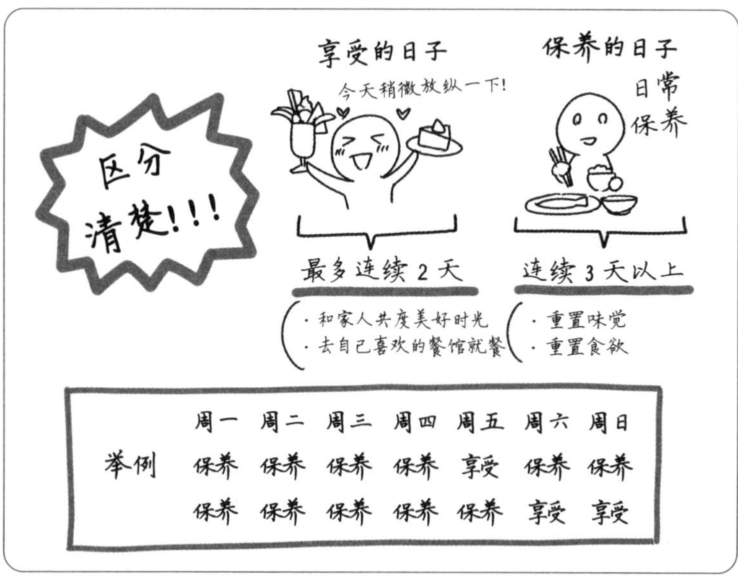

的话，即使减少摄入量，我们依然会对这些食物存在依赖。为了消除这种依赖性，建议**“连续2～3天”完全不吃这些食物**。

我们面对食物时的自控力，可以通过制定规则加以提高。比如，我们可以定一个规则：当自己想吃某种食物的时候，告诉自己可以在“下一个享受的日子”吃。这样，推迟自己的享受时间，更容易防止摄入不利于健康的食物。而**这种“小克制”是一种“小的成功体验”，是自己获得的“小的成就感”，积少成多，就会成为“大的成就感”。从而，我们的自控力也会越来越强**。

另外，**用心去体会“享受的日子”和“保养的日子”第二天的身体感受，也是使减肥走向成功的一个秘诀**。因为在“保养的日子”的第二天，我们的身体往往会更舒适、更有活力。

(EAT)

第二章

饮食养生❷

仅仅改变饮食的内容，就可以自然瘦身

ADVICE 08

“抗氧化”是提高新陈代谢的关键

摄入的蔬菜量应该是肉的 2 倍以上

确信可以调节：精神压力、食欲、血糖值、皮肤粗糙

○植物性食物：动物性食物（肉、鱼、蛋）=5∶1

○食谱应以蔬菜为中心，配以少量动物性食物。

为什么要这样做?

▶动物性食物进入人体内，分解只会止步于大分子（有机酸），使人体内部发生氧化（氧化 = 阳）。

※ 身体氧化会造成肩酸、慢性疲劳、皮肤粗糙、高血压等老化现象。

▶身体氧化，会加重肝脏的负担，使人的精神压力增大。

▶植物性食物中所含的抗氧化物质可以把“有机酸”分解成“二氧化碳 + 水”，促进解毒（接近中庸）。

“氧化 = 老化”。想对抗氧化，多吃蔬菜！

人体消化动物性食物（阳）所需的时间，是消化植物性食物（中庸、阴）所需时间的 2 ~ 3 倍。植物性食物在人体内可以被分解成小分子，动物性食物只能被分解成大分子，而且需要的时间还很长。动物性食物被分解成大分子的“有机酸”，使人体长时间保持“酸性状

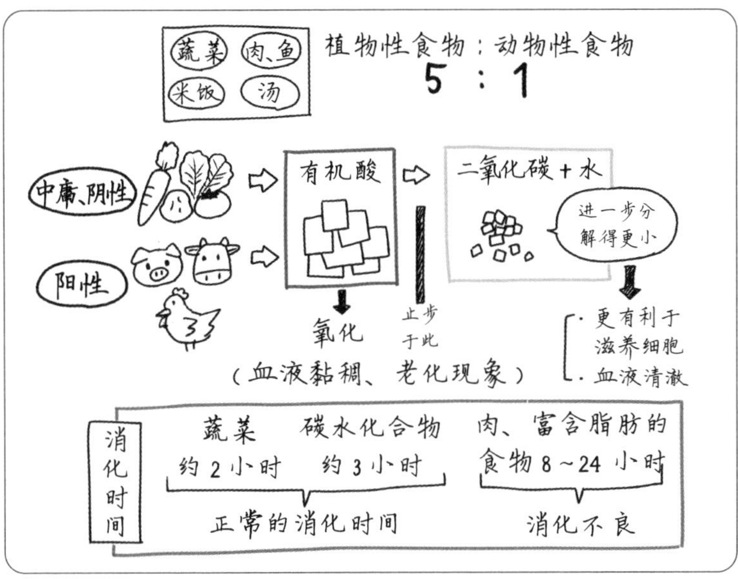

态”，因此身体容易发生氧化。**氧化会加速人体老化，使基础代谢水平降低。**

东方医学理论认为，肝脏是负责管理自主神经和调节精神压力的器官。如果肝脏负担过重的话，**人就容易烦躁，还可能因为精神压力太大而过度饮食。**所以，我们应该多吃蔬菜，因为蔬菜中富含维生素、矿物质和多酚，这些物质可以将氧化物加速排出体外。

※ 引用自：森下敬一《健康与美容的饮食生活》，文理书院。

同是蛋白质，其实也有很大的区别 不知怎么选的话，首选鱼

确信可以调节：胃胀、精神压力、食欲、血糖值、血压

该做的事

○每周吃两次以上的海产品。

○外出吃饭建议吃鱼。

○青花鱼、沙丁鱼、竹筴鱼等“青鱼”类和野生鲑鱼最佳。

为什么要这样做？

▶日本人的基因在消化海产品上具有天然的优势，所以更容易从海产品中获得营养。

（东方医学的观念认为“一方水土养一方人”“靠山吃山、靠海吃海”，摄入与地域、遗传因素相符的食物，对健康最有利。）

▶鱼的油脂不容易凝固在人体内，而且鱼油中所含的DHA（脱氧核糖核酸）可以活化大脑，EPA（二十碳五烯酸）能够分解血栓。

※脂肪=凝固在体内的油/油=不容易凝固在体内的油

让血液清澈的“油”、让血液黏稠的“脂肪”

畜类的肉和鱼类，同属动物性食物，但对于血液中的代谢废物有着截然不同的作用。高血压、高血糖、痴呆症等都是与血液相关的疾

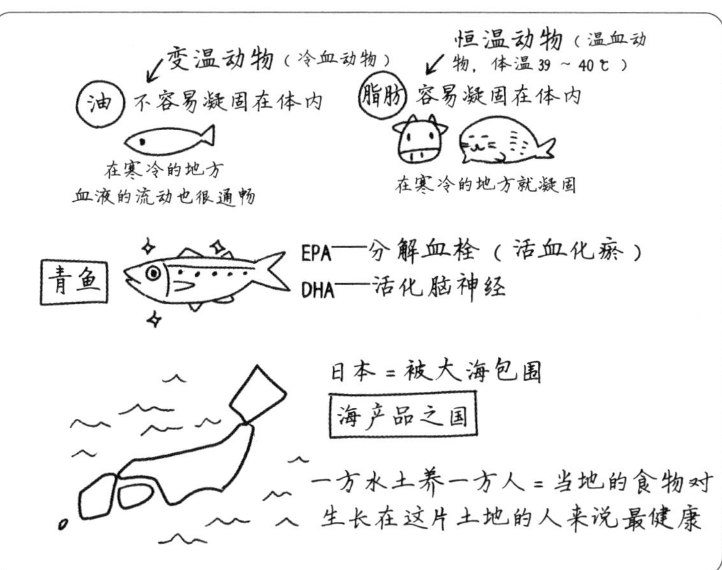

病，科学家已经证实，吃鱼类可以降低患上述疾病的风险。东方医学理论认为，**鱼类中所含的油，具有“活血化瘀”的效果，即改善血液循环、分解血栓**。而且，鱼油在人体内不容易凝固。不过吃鱼也有讲究，与大型鱼类相比，**近海捕捞的青花鱼、沙丁鱼、竹筴鱼等手掌大小的“青鱼”类更好一些**。而且，小鱼的内脏、鱼刺都可以吃，小鱼全身的营养都能得到利用。

日本作为一个岛国，被大海环绕，经年累月的饮食方式使日本人擅长消化海产品，这种优势已经刻在了基因中。

把新陈代谢切换到排毒模式

告别“精米”，改吃“糙米”

确信可以调节：浮肿、食欲、血糖值、血压、精神压力

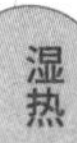

该做的事

○告别平日 100% 把精米饭当主食的习惯。

○目标是 100% 吃糙米饭。　○买“方便糙米饭包”，简单实用。

为什么要这样做?

▶糙米是“全粒谷物”，吃糙米饭可以有效防止血糖值急速上升。
▶糙米的“糠和胚芽”中含有 90% 以上的营养成分。
▶把新陈代谢切换到排毒（异化作用）模式。

发芽糙米、酵素糙米、除蜡糙米都可以

- 发芽糙米→ 在水中浸泡一个晚上，让胚芽发芽的糙米。因为谷壳已被芽顶破，口感要相对柔软一点。
- 酵素糙米→ 糙米中加入红豆用高压锅蒸熟，然后放置 3 天左右使其发酵、熟成，便做成了酵素糙米，也叫发酵糙米。
- 除蜡糙米（商品名）→ 除掉了糙米表面的蜡层。

※ 阳（颗粒分明的）/ 阴（柔软的）

想减肥，没有理由不吃糙米

精米是由糙米加工而来的，将糙米的米糠层、胚芽层（外皮）去

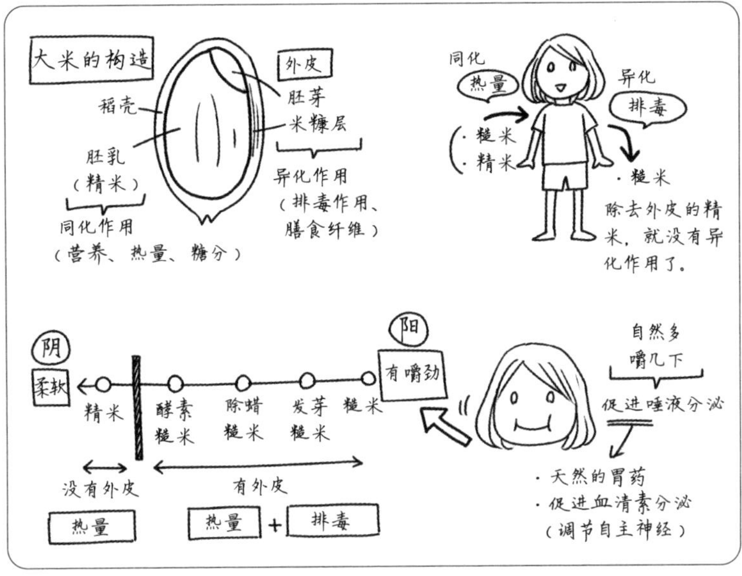

除，剩下的就是精米。精米实际是水稻的“胚乳”。其实，稻米的营养成分有九成都在外层。而且，外层中的成分还有抑制血糖值急速升高的作用。

另外，精米只具有“同化作用”，即使身体“变大”的作用，而**糙米还具有“异化作用”，即将废物排出体外的作用**。糙米还具有缓解便秘、排出水分类代谢废物和重金属等的强力排毒作用。

糙米饭没有精米饭软糯，比较有嚼劲，所以吃糙米饭自然要多嚼几下，而**咀嚼**可以促进唾液（天然胃药）的分泌，从而**使消化器官变得强健**。市面上销售的一些电饭锅具有“煮糙米饭”的模式。在“煮糙米饭”模式下，不需要事先用水浸泡糙米，就可以直接煮饭。想省事的朋友也可以试一下方便糙米饭包，只需要用微波炉加热即可食用，非常方便。

ADVICE 11

最终目标是 100% 吃糙米，但一开始也不必操之过急

将精米改造成糙米的方法

确信可以调节：浮肿、食欲、血糖值、血压、精神压力

该做的事

○在 180 克精米中掺入 1 大勺以上的杂粮。

○以精米：糙米 =5：5 的比例煮饭（用电饭锅的"煮精米饭"模式）。

○在一碗精米中掺入 1 大勺以上的芝麻粉。

※ 用糙米掺精米煮饭的时候，如果糙米的比例小于等于 50%，用电饭锅的"煮精米饭"模式；如果糙米的比例大于 50%，则用电饭锅的"煮糙米饭"模式。

推荐的杂粮

- 糯麦（缓解便秘）
- 黑米（防止血液黏稠）
- 小米（强健肠胃）
- 薏仁（改善皮肤粗糙）
- 红豆（消除浮肿）
- 黍子（去皮后叫黄米，消除胀气）

※ 红豆粉、水煮红豆都可以

用全粒谷物拯救您的主食

精米是对糙米进行精加工后得到的大米，糙米原本的膳食纤维基本上已经被全部去除了。白面粉、面条也都是精加工的产物，营养物

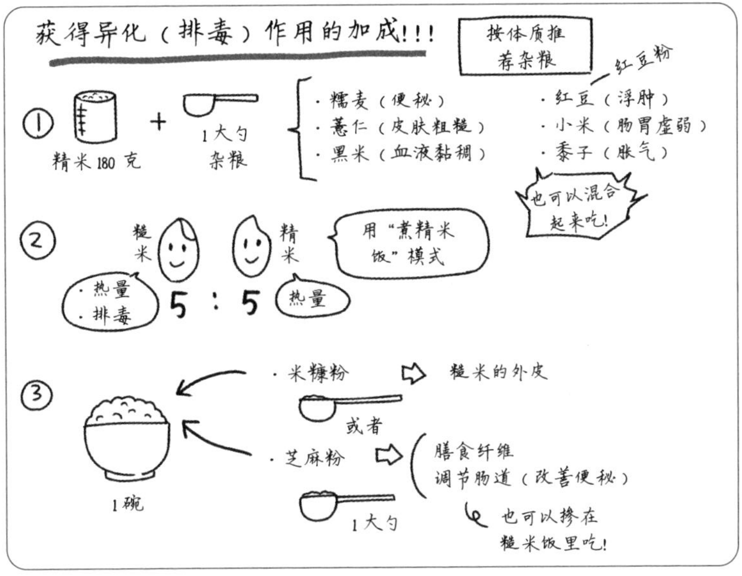

质损失殆尽。精米、精面中只剩糖和热量，吃多了会让人体开启脂肪存储模式。像糯麦、薏仁等“全粒谷物”，保留了含有丰富的膳食纤维的外皮、胚芽，这些杂粮的排毒作用和糙米相当。

糙米是健康的主食，但它的口感不如精米软糯，吃惯了精米的朋友，一下子全换成糙米，可能还不太适应。所以一开始也不必操之过急，可以先从精米加杂粮吃起，其保健作用已经很接近糙米。

另外，像**红豆、黑豆等豆类，芝麻等种子类**，保留了外皮，也是获取膳食纤维的优良食物。

当家里只有精米的时候，煮饭可以**多掺一些芝麻粉、米糠粉**。吃面包的话，推荐选**黑麦面包**、**全麦面包**。面条的话，推荐选择**荞麦面**。因为这些面食都保留了外皮，最大限度地保留了营养成分。

双下巴、法令纹、下腹松弛

赘肉是甜食惹的祸，甜食中可不止砂糖！

确信可以调节：疲劳感、浮肿、食欲、血糖值、体寒

水滞

气滞

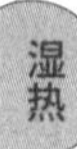

血瘀

湿热

该做的事

○感觉肚子饿的时候，吃甜食之外的食物。

☺ 可以吃：	☹ 不可以吃：
• 坚果、鱿鱼干	• 水果干、糕点、其他含糖零食

○首先确保无糖！人工甜味剂也不行。

※ 蜂蜜和所谓的零糖、零卡的人工甜味剂也不能吃

为什么要这样做？

▶不管什么“甜”，害处都是一样的。

→ 松弛、积水、寒凉、膨胀、依赖

▶特别是砂糖和果糖，对肠道的伤害较大，还可能使有害物质渗透到血液中。

→ 血液黏稠

在考虑哪种甜食可以吃之前……

减肥路上，最大的敌人就是甜食。摄入糖分很高的糕点、饮料，

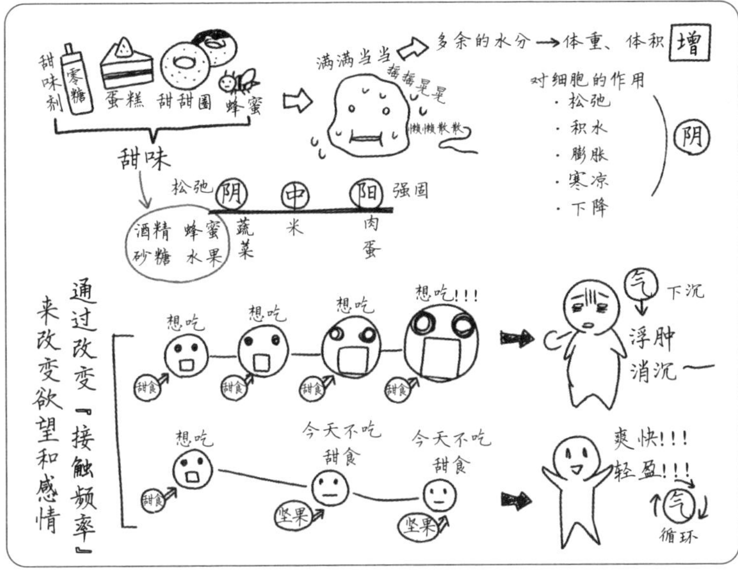

很容易长胖，这是尽人皆知的常识。于是，商家开发出了所谓“零糖”的人工甜味剂，即便是使用这种甜味剂，也不能从根本上解决问题。因为**“甜味”本身就有“让细胞变松弛”的作用**，所以只要有甜味的食物，就会让人体“积水、膨胀、下垂”。而且更厉害的是，**“甜味”具有成瘾性，甚至会被人称为“甜味毒品”**。

因此，想要减肥的朋友，最重要的就是和“甜味”保持距离。对甜味的依赖，是一种“味觉癖好”，戒断它的办法就是降低接触的频率。**接触甜食的频率少了，我们对甜味的欲望也就逐渐变淡了，从而就把减肥调到了“容易模式”。建议您坚持一周不碰甜食，看看效果，到时也许就没那么想吃它们了。**

让内脏变成极寒地狱的食物

冰冻食品让人发胖

确信可以调节：肠胃虚弱、浮肿、食欲、体寒、内脏脂肪淤积

适合体质

血虚 气虚

水滞

气滞

血瘀

湿热

该做的事

○除了夏季，每周吃冷冻食品不超过 1 次。

○吃冰淇淋要配温热饮料，不要让肚子彻底冷下来（推荐温热红豆茶）。

为什么要这样做?

▶冰冷的食物会让消化器官的温度急剧下降，使内脏的代谢水平降低（容易使内脏脂肪淤积）。

▶冷冻食品带甜味的比较多，会让水循环系统代谢废物难以排出体外（是导致浮肿、松弛的原因）。

冷冻食品的陷阱——让我们不容易感知到甜味

冰镇饮料、冰淇淋等寒凉的食物，会让我们的胃——消化工厂——在短时间内急速降温。这时，**如果再给胃加温，就容易引发炎症，造成内脏脂肪的淤积；但如果不加温，让胃保持低温，又会降低胃的消化功能，很容易使人形成“水胖”**。圆滚滚的腰和下腹的赘肉，就是冰冷甜食导致水循环系统代谢废物淤积在骨盆周围造成的。

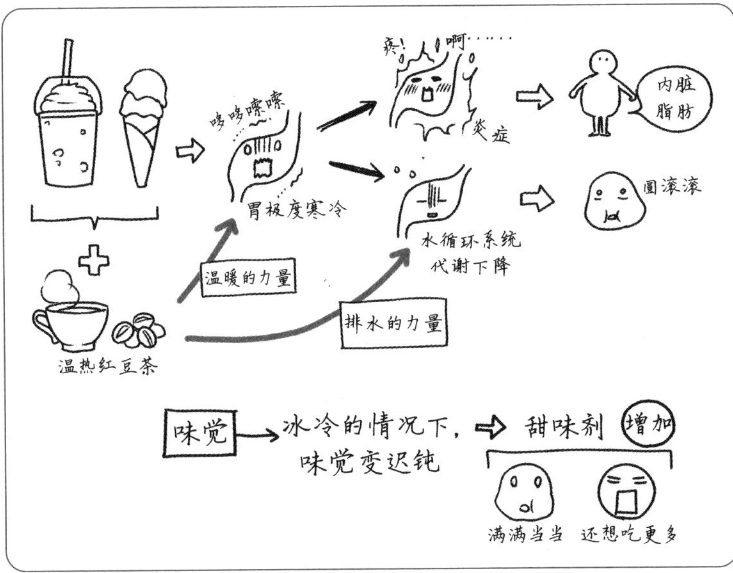

在冰冷的状态下，我们的味觉对甜味的感知会变迟钝，所以往往会**吃下更甜的食物而不自知**。这也是造成浮肿和松弛的原因之一，而且还有**对甜味产生依赖**的风险。

如果哪一天您突然很想吃冰镇食物，可以**搭配温热的红豆茶或“三年粗茶（晒干后储藏三年熟成的粗茶）”。因为这两种茶有助于人体排出多余的水分**。

ADVICE 14

这些也是寒物

“寒物”是指比体温低的食物，“生蔬菜”也是其中之一

确信可以调节：肠胃虚弱、浮肿、体寒

适合体质：气虚 血虚 水滞 气滞 血瘀 湿热

该做的事

○凉拌菜从冰箱里拿出来后，先放置到室温再食用。

○把蔬菜沙拉换成煮菜、炒菜、蒸菜。

○每餐配一道热汤。

为什么要这样做?

▶与内脏相同的温度（37～38℃），是最适合食物消化的温度。

▶蔬菜是“让身体冷却（阴性）”的食物。将蔬菜加热，为其增加阳的属性。

※女性本身阴的属性就比较重，所以应慎重吃生蔬菜。

男性身体阳性倾向比较强，所以吃生蔬菜对男性的影响要小于女性。

温暖的食物对肠胃最好

日本人开始吃蔬菜沙拉大约始于100年前。日本人的饮食习惯并非以肉食（极阳）为主，所以**吃蔬菜沙拉本没有必要**。

四面环海的日本列岛，湿气很重，湿气使日本人的肠胃比较虚

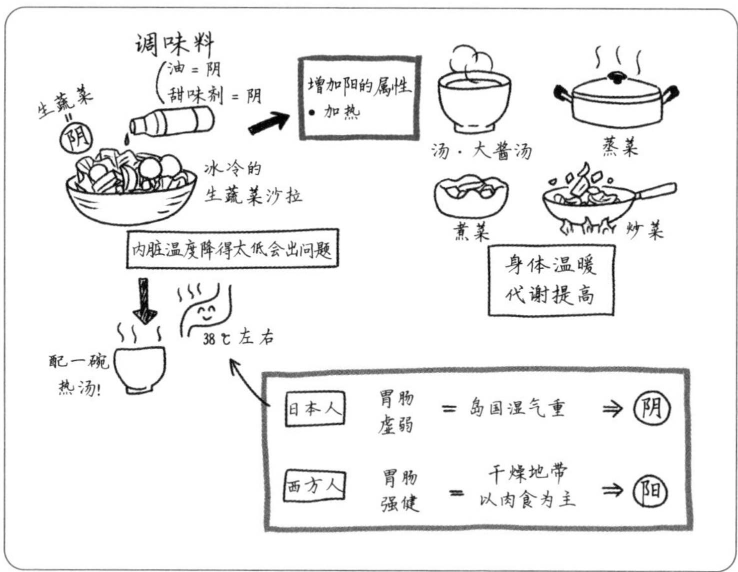

弱，所以将蔬菜加热再吃才更容易消化。

东方医学认为，蔬菜属于阴性食材。生食蔬菜的话，阴的力量会让身体变寒。**蔬菜用火加热后，能增添阳的属性，从而达到阴阳平衡，也更符合我们的饮食习惯。**

用焯过水的蔬菜做凉拌菜或蔬菜沙拉，上桌时的温度至少应与室温持平，吃下去不会让我们的内脏温度快速下降。

ADVICE 15

有效成分提高 10 倍
风干（或晒干）的食物可以提供 100 万马力的瘦身力量

确信可以调节：肠胃虚弱、血压、血糖值、疲劳感

适合体质

该做的事

吃风干（或晒干）的植物性食物。

例 干木耳、黑豆、羊栖菜（增强体力、美发、抗衰老）

推荐食用：

- 干香菇（抗衰老、消除疲劳）
- 萝卜干（分解、消解脂肪）
- 冻豆腐（更年期发胖、抗衰老）

※ 干香菇、萝卜干不要选择机械干燥的，要选择自然干燥的

为什么要这样做？

▶ 太阳光和时间可以给蔬菜增加“阳”的力量。
（变成易于吸收的营养，还不会让身体降温。）

▶ 紫外线可以让维生素 D 倍增，促进血清素的合成，调节自主神经。

▶ 干燥后，食材的鲜味得到浓缩，即使不加调味料也很好吃。
让我们的舌头恢复到品味食材本味的状态，也就是我们追求的“味觉重置”。

① 功率单位，1 马力等于在 1 秒内完成 75 千克力 • 米的功。——编者注

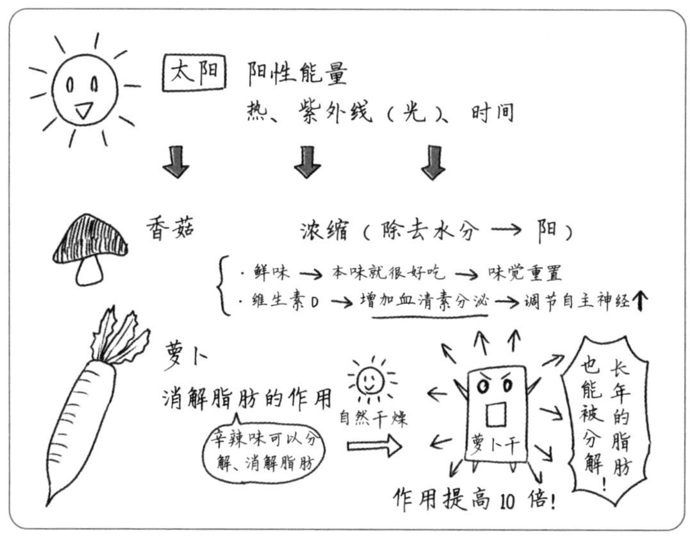

营养、作用、阳性力量全部提升！

植物性食物给肠胃带来的消化负担小，而且排毒效果强，但如果食用方法不当的话，有可能使身体变寒。植物性食物属于阴性食材，但如果加入“太阳”“时间”等阳性要素，就可以为其**增加温暖身体的能量，从而促进代谢水平的提高。**

植物性食物经过风干或晒干后，水分被除掉了，所以单位体积内的营养成分和鲜味就增加了，这就是所谓的浓缩。这时，即使以**原味烹调，食材也很美味。品味原味食材的鲜美，能让我们的味觉得到“重置”，接近最自然的状态。**另外，食材在干燥后，**其原本具有的作用也会翻倍。**萝卜具有分解脂肪的作用，香菇可以增强神经传导物质的活力，当它们被晒成干之后，这些作用会倍增。只有特别硬的干燥食材和羊栖菜需要好好清洗，其他干燥食材**只需稍微清洗，然后加入煮菜或汤中一起煮，就可以最大限度地防止营养成分流失。**

ADVICE 16

区分“享受的日子”和“保养的日子”

与其每天少量饮酒，不如每周尽兴喝两次

确信可以调节：精神压力、血压、血糖值、疲劳感、内脏脂肪淤积、浮肿

○爱喝酒的话，隔两天喝一次酒。

○一天一罐啤酒，不如攒到周末一起喝。

为什么要这样做?

- ▶酒精——极阴性。
  → 积水、膨胀、下垂、强依赖、面部浮肿等
- ▶喝酒后，肝脏会优先进行解毒，藏血（储藏血液、调节血量、防止出血）功能就会减弱。
- ▶自主神经工作不充分。
  → 基础代谢水平低下
- ▶胃部发生炎症，食欲增强。
- ▶依赖性与接触次数成正比。
- ▶完全清除体内的酒精需要 2 天时间。

※ 酒精以外的极阴性食材：食品添加剂、毒品、药品、砂糖

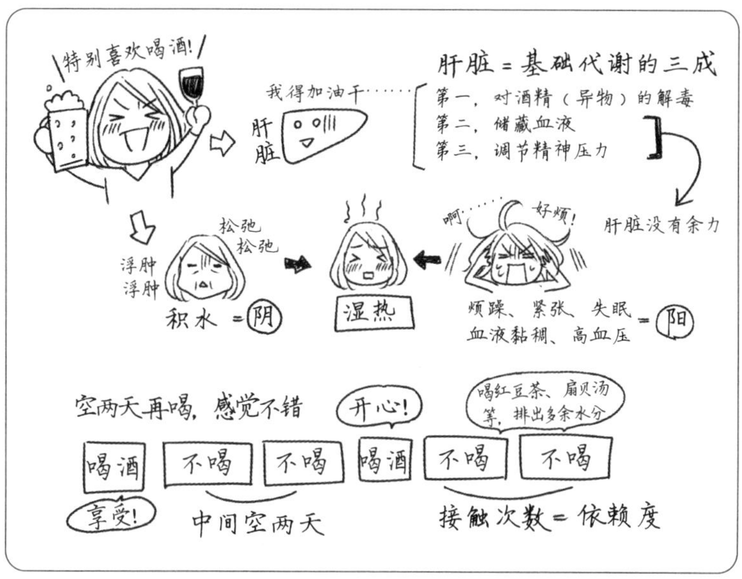

肝脏是基础代谢的大户，千万不要给它增添额外的负担

酒精是一种会让人产生很强依赖性的极阴性物质。减少与酒精的接触次数，是保持健康的上策。

当人感受到精神压力的时候，就会想要放松、释放自己，会产生饮酒的本能冲动。但是，酒精进入体内会让细胞储存多余的水分，并产生含有代谢废物的黏液，这种黏液就是所谓的“湿”，会使身体老化。这种物质和黏答答的糖触感相似。喝酒的时候，我们会感到浑身发热，会有幸福感，但其实湿气是寒物，喝酒的人可能都有体会，当酒精带来的兴奋感消散之后，人往往会感到冷得发抖。

肝脏担负着我们整个身体 30% 的基础代谢，它具有解毒等多种机能。我们喝酒后，**肝脏会优先进行解毒，那么其他的机能就会受到影响。**

ADVICE 17

根据体质和身体状况进行选择
补充水分，温茶最佳

确信可以调节：血压、血糖值、疲劳感、内脏脂肪淤积、浮肿、食欲

适合体质：气虚 血虚 水滞 气滞 血瘀 湿热

该做的事

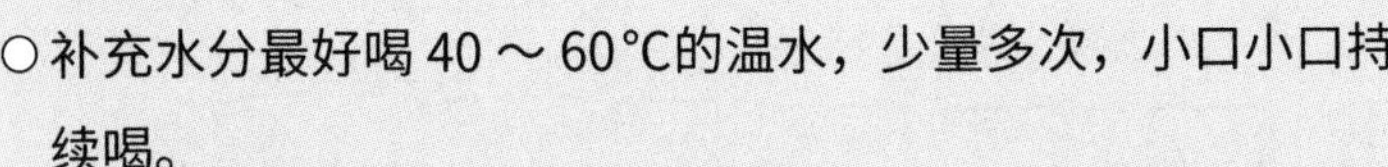

○补充水分最好喝 40～60°C的温水，少量多次，小口小口持续喝。

○1 天要喝 1～1.5 升水。

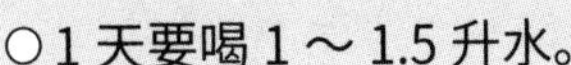

❤ 适合不同体质、身体状态的饮品

水滞、湿热： 喝酒后的第二天 / 吃甜食的时候（阴）

→红豆茶、黑豆茶、玉米须茶（利尿，即清除多余的水分）

血瘀、湿热： 高血压、高血糖 / 吃肉、油炸食物的时候（阳）

→香草茶、鱼腥草茶、普洱茶（清肝，即促进肝脏代谢）

气虚、血虚： 疲劳感、全身发冷（阳气不足）

→三年粗茶、蒲公英咖啡

气滞： 焦躁不安、情绪低落、失眠

→茉莉花茶、薰衣草茶、香草茶

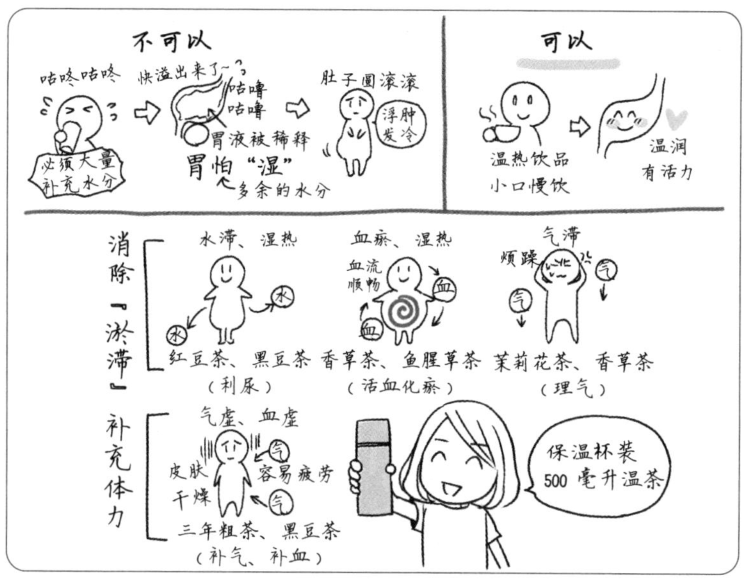

饮品温度与内脏温度持平，小口慢饮

补充水分的方式，会对我们的体质、身体状况产生很大的影响。自古以来，茶就被当作一种草药，甚至具有治病的功效。**根据自己的身体状况，持续 2 周至 2 个月饮用特定的茶水，可以促进体质的改善。**尤其是水滞、湿热体质的人，因为特别需要加快水分的代谢，所以饮用相应的茶水，可以在短时间内见到效果。快的话，几天之内就能改善水滞、湿热体质。

正确补充水分，很重要的一点是要注意饮用温度。草药一般要求"温服"，**以接近内脏的温度服下后，更容易被吸收。**补充水分本身并不是新陈代谢的一环，所以**每天喝 1 升水就差不多了**。而且最好小口慢饮。一口气喝个饱，容易引起胃痛。**喝水后感觉胃里咕噜咕噜作响，就说明喝得太快了。**

ADVICE 18

有些“秘密食材”，还不知道，就是您的损失

大萝卜是日本人消除多余脂肪的特效药

确信可以调节：血压、血糖值、内脏脂肪淤积、浮肿、精神压力

适合体质

气虚 血虚

水滞

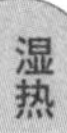

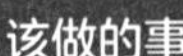

○买菜的时候如果不知道买什么，就买大萝卜吧。

○熬汤、煮菜时，多加大萝卜（气虚、血虚的人更要多吃）。

♥ 血瘀、湿热体质

- 吃肉的日子，添加一些萝卜泥当配菜
- 每周吃两次以上萝卜干

为什么要这样做?

※ 用东方医学的食疗法，在短时间内改善消化机能，分解、排出血液中的代谢废物。

▶ 辛味食材→ 分解代谢废物（分解、破坏体内废物）

▶ 消食作用→ 促进消化、促进水分排泄（西医的方式）

▶ 富含消化酶——淀粉酶

▶ 有清除血管内血栓的作用

▶ 具有解毒的作用

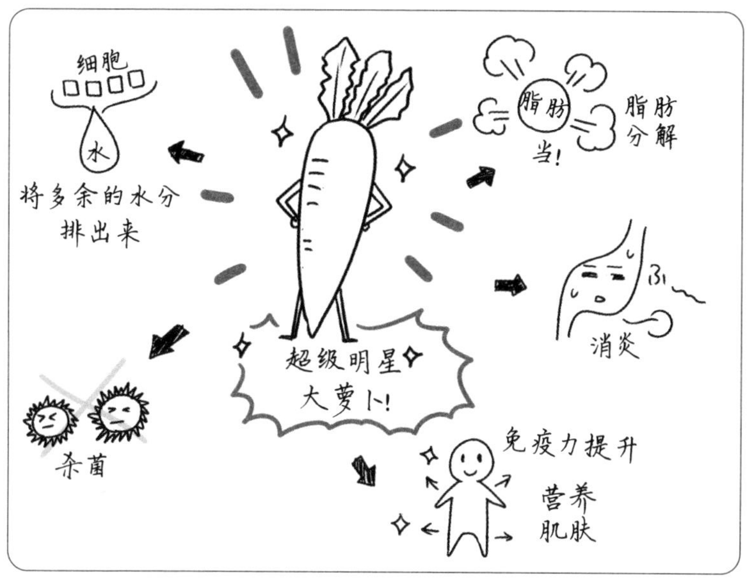

不知道吃什么，就吃大萝卜，绝对不会错！

大萝卜，堪称养生界的最强食材！尤其是**胃容易发炎的阳性体质的朋友，特别适合吃大萝卜**。东方医学认为大萝卜具有**“辛散作用”（辛味食物可将体内的废物破坏、分解）**。这种发散的力量可以由内而外直达皮肤，对外来疾病具有抵抗作用，从而提升人体的**免疫力**。

特别是生萝卜，推荐在饭后食用，可以**帮助消化，恢复胃的活力**。吃肉和油炸食品的时候，搭配萝卜一起吃，也是保健的良方。萝卜干可以分解血液中的代谢废物，每周吃两次，一段时间后您看看效果，**腰围一定会缩小**。加热的萝卜，具有**调节肠道功能**的作用，对于体力比较差的朋友，吃煮萝卜可以**提高肠胃吸收营养的能力**。

ADVICE 19

爆发！润物无声!! 过于优秀!!!
没有比生姜更好的药膳食材

确信可以调节：血压、内脏脂肪淤积、体寒、皮肤干燥、消沉

湿热

该做的事

○添加 1 小勺生姜（可添加到大酱汤、茶、菜里）。

→生姜泥（适合血瘀、湿热体质）：破坏、分解体内废物（辛散作用）

→生姜粉（适合气虚、血虚、水滞体质）：温暖身体（温中作用）

▶ 生姜含有姜酚，可以增强脂肪的分解作用→发汗。

▶ 生姜加热后会产生姜油，能由内而外温暖身体，让温度直达肢体末端→加速血液流动。

▶ 生姜皮具有安定精神、促进水分代谢的作用，所以最好连皮一起吃。

不管是生吃还是煮熟，生姜效果超群！

生姜中含有姜酚，姜酚具有很强的发散作用，可以使**胃里和血液里的脂肪加速代谢**。生姜的发汗作用能将营养物质由内而外输送至机体表面，所以常吃生姜能让我们的**皮肤有光泽、头发有韧性**。

生姜加热后，能生成姜油，可以让内脏升温，让血液流到手指、足尖等肢体末端。体力不够、怕冷的朋友，以及血液循环不畅（血瘀）、手脚冰凉**（末端寒症）的朋友，建议多吃加热的生姜**。

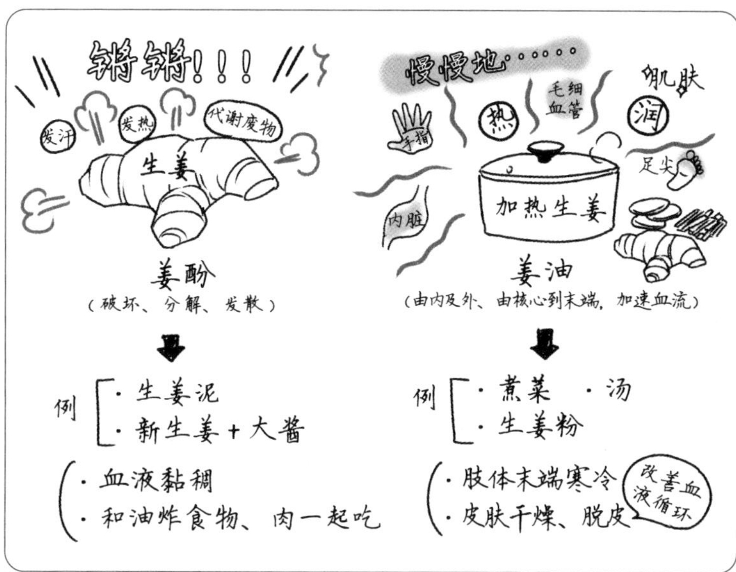

但是，去皮之后的生姜，有效成分会大大减少，所以建议将生姜**连皮做成生姜泥**食用，冷冻起来慢慢吃也可以。煮菜或炖汤时，加些生姜，就能发挥熟生姜的效用。也可以将生姜蒸熟再研磨成粉，制成生姜粉保存，用起来更方便。

ADVICE 20

善待自己的时间、脑力和体力

最好的一餐是“一饭一菜”

确信可以调节：血压、血糖值、内脏脂肪淤积、体寒、食欲

该做的事

○不知道吃什么，就选糙米饭 + 大酱汤煮菜。

○单身生活的话，可以用方便酱汤包 + 方便糙米饭包简单搞定正餐。

为什么要这样做？

▶自己开火做饭的话，最简单的营养搭配就是糙米饭配大酱汤煮菜。
▶兼顾“两种代谢 = 同化作用 · 异化作用”的完美菜单。
▶没有多余的营养（食品添加剂、氧化油脂、人工甜味剂等）。
▶对胃、肠、肝脏（消化器官）都很好。
▶这套完全营养餐可以提高满足感，进而抑制食欲。

日本的最强保健食谱是“一饭一菜”

从武士时代开始，日本人习惯的日常食谱——**“糙米饭 + 大酱汤煮菜”，其实是一种完全营养餐，是一种可以兼顾两种代谢（营养吸收与排泄排毒）的健康饮食习惯，而且毫无浪费。**“带有外皮的糙米”和“发酵食品大酱”可以**防止进餐中血糖值的急剧升高，对抑制食欲很有帮助。**

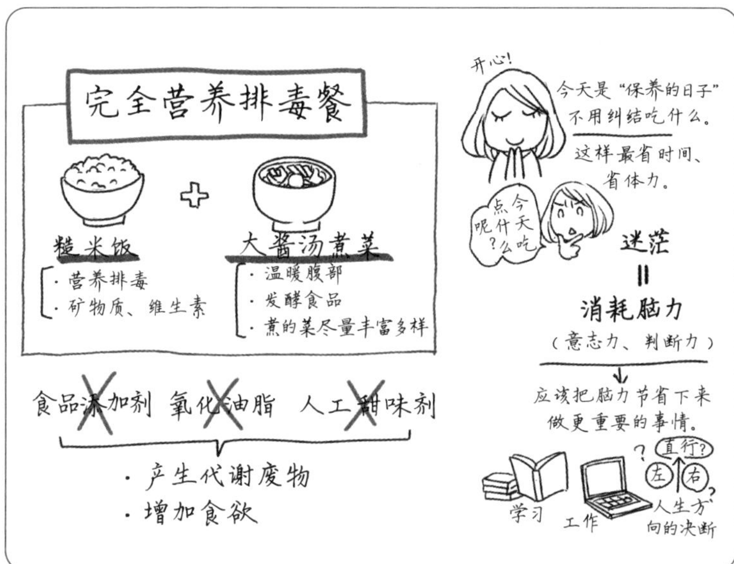

日本的大超市、小便利店里都能买到大酱，可谓国民食品，而大酱汤或大酱汤煮菜做起来也不难，**连小学生都做得来**。现代人每天都要花很多脑力来思考每顿饭吃点什么，其实，与其把宝贵的脑力浪费在纠结吃什么上，不如贯彻简单便捷的“糙米饭 + 大酱汤煮菜”的传统健康饮食习惯。把节省下来的脑力用在更重要的事情上，岂不是能让人生更丰富多彩？但是，也不能图省事就买超市的速食食品吃。速食食品一般都添加了很多食品添加剂、人工甜味剂、防腐剂等，热量很高不说，所含营养成分也不均衡。长期吃的话，不但容易发胖，还会造成营养不良。

ADVICE 21

湿气、寒、多余脂肪构成的"负"方程式

连雨天，不要吃乳制品

确信可以调节：妇科问题、体寒、食欲、血糖值、浮肿

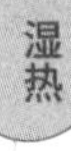

湿热

该做的事

○连雨天不吃乳制品。

○喝热红豆茶补充水分。

例
- 奶油浓汤→大酱汤
- 拿铁咖啡→黑咖啡
- 芝士→牛油果
- 布丁→坚果

为什么要这样做?

▶阴雨连天的日子湿气重，体内会进入多余的水分（湿邪）。

▶多余的水分会使身体变冷。

▶脂肪容易堆积在突出的大骨头（下颌骨、肩胛骨、骨盆）下侧→形成松弛的赘肉。

▶对女性来说，脂肪堆积在骨盆周边，会使子宫、肾脏变冷，容易引起妇科问题。

"水分系脂肪"会引起人体的各种"下降"问题

和甜食一样，乳制品也属于阴性食物。吃太多乳制品，会让多余的水分滞留在体内，引起膨胀、下垂、体温降低等各种各样的"下

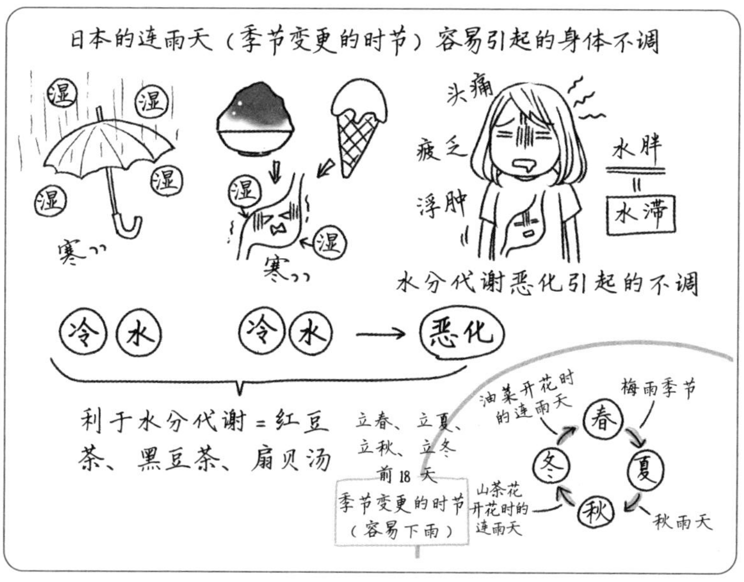

降”问题。奶制品大多带有甜味，前面已经讲过甜味食物对身体的危害了。

乳制品的主要成分是动物脂肪，被我们吃入体内后，一旦**温度降低就容易在血液中凝固**。在东方医学理论中，“雨”被称为“湿邪”，会减弱胃的消化功能。人体的水分代谢主要在胃中进行。阴雨天吃甜食或乳制品的话，甜食和乳制品会造成水分淤积，再加上外界的“湿邪”进入体内，**胃的功能就会进一步恶化。**

体内淤积的水分“下沉”，便会**导致情绪消沉，身体产生倦怠感。**所以，想让身心轻松，要从清除多余的水分开始。**阴雨的日子，建议喝红豆茶等具有利尿、排水作用的温热茶水。**

脸胖的人看过来
消除双下巴的薏仁粉

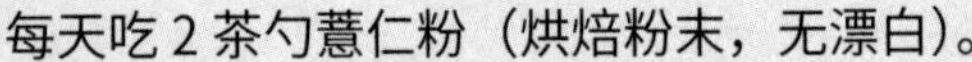

确信可以调节：红粉刺、皮肤粗糙、体寒、食欲、血糖值、浮肿

适合体质

血虚 气虚

水滞

气滞

血瘀

湿热

该做的事

每天吃 2 茶勺薏仁粉（烘焙粉末，无漂白）。

例 茶、咖啡、大酱汤中可以加入 1 茶勺薏仁粉
煮饭的时候，2 碗米可以加 1 大勺薏仁粉

为什么要这样做？

▶ 薏仁可以帮助身体排出多余的水分，并提高胃的恢复能力，改善皮肤的肿胀、炎症。
▶ 双下巴是因下颌骨下面积聚了多余的水分——“湿”造成的。甜食、酒精、乳制品摄入过多，容易形成双下巴。

修整肌肤、脸部的轮廓——“最强美容粉”

薏仁是一种传统的食药两用的保健食物，对于改善**肿胀**、**皮肤粗糙**效果显著。水分代谢不太好的朋友，一般也有胃功能虚弱的倾向，而薏仁有助于**恢复胃功能**。

薏仁还可以提高皮肤的新陈代谢，它具有收敛炎症、修复角质细胞的作用。将皮肤中多余的水分除去之后，皮肤就会变得**紧致有弹性**，从外观上看，人就变瘦了。

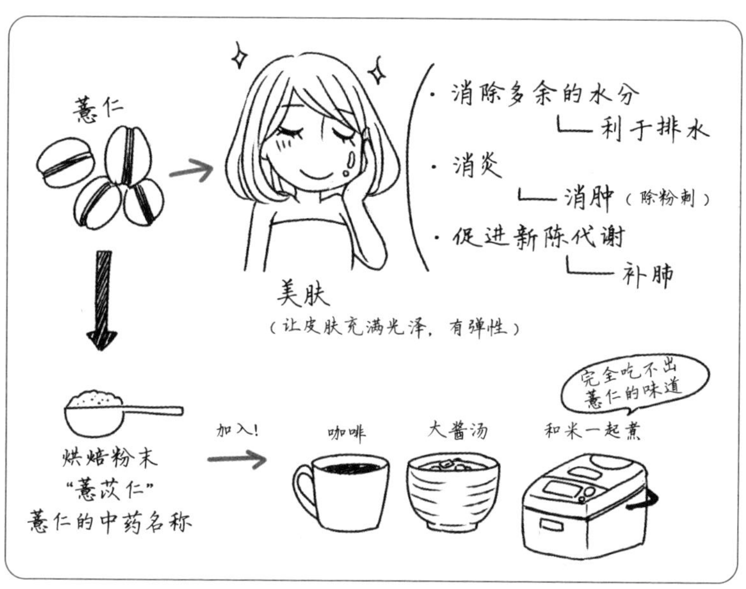

天然食品薏仁粉**没有特殊的气味和味道，添加到其他食品里，不会影响口味**。但薏仁粉不溶于水，添加在其他食品里，可能会对口感造成一定的影响，考虑到它含有诸多的有益成分，希望大家不要介意它的口感。把薏仁粉加入大米里一起煮，就完全感觉不到异常了。

ADVICE 23

瘦身调味料

使用货真价实的无添加调味料

确信可以调节：血压、血糖值、内脏脂肪淤积、体寒、食欲、浮肿

适合体质：气虚 血虚 水滞 气滞 血瘀 湿热

该做的事

○ 自己做饭时，要备齐货真价实的无添加调味料。

○ 购买调味料时，一定要仔细看配料表，选择没有添加剂的产品。

例

小麦粉、马铃薯、食盐、植物油、洋葱、姜 / 调味料（氨基酸等）、海藻糖、卵磷脂、香料（螃蟹、牛肉、猪肉提取物）

（“/”后面的成分都是人工添加剂。）

○ 不要购买名字里带“×× 剂”“×× 素”的调味料。

○ 如果不知道哪些调味料是无添加的，干脆就用大酱、酿造酱油、盐、甜料酒。

为什么要这样做?

▶ 食品添加剂和人工甜味剂带来依赖性的风险较高，而且会使人增加食欲。

▶ 过度加工的人工调味料，本身就是形成代谢废物（变胖）的要素。

▶ 货真价实的天然调味料不仅不会增加肝脏的负担，还能促进基础代谢。

▶ 酿造的发酵食品最适合我们的肠道吸收，同时具有净化血液的作用。

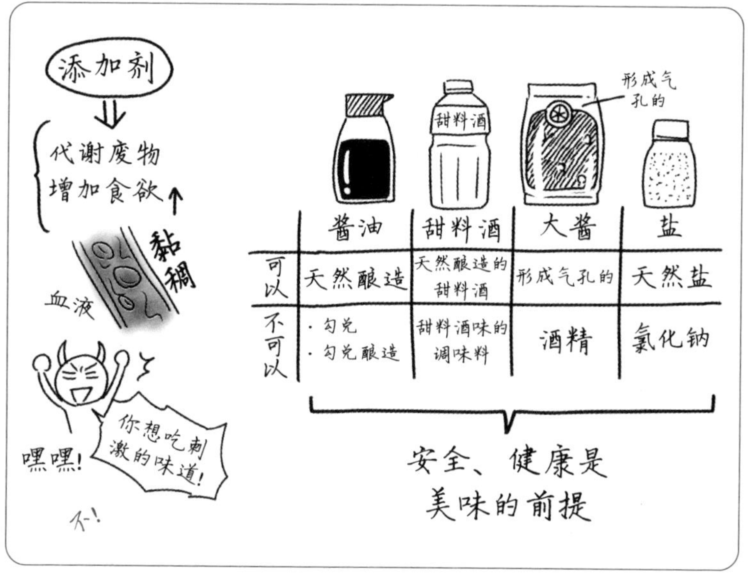

天然调味料是美容和健康的好帮手

人工调味料、食品添加剂是刺激人的食欲、提高血糖值、形成代谢废物的凶手。我们在家自己做饭的时候，不仅食材要选用天然的，调味料也要选用天然无添加的。这才是最为健康的饮食习惯。

有着悠久历史的日本传统无添加调味料**适合日本人的肠道菌群，能够对健康和美容起到助力作用**。使用这些天然调味料可以提高新陈代谢的水平，让瘦身的速度更快。

特别是大酱、酱油、甜料酒等**发酵食品，可以加速胃里食物的分解，而胃又是人体基础代谢的重要器官之一**。而且，对于发酵食品，我建议大家选择尚未发酵完成、**正处于发酵过程中的食品**。天然无添加调味料不会给我们带来味觉上的刺激，有利于重置味觉，**降低我们对某种食物味道的依赖**。

ADVICE 24

早晨的空腹时间是重启身体的绝好机会

调整身体状态的魔法饮品

确信可以调节：血压、血糖值、内脏脂肪淤积、体寒、食欲、浮肿

适合体质

气虚 血虚

水滞

气滞

血瘀

湿热

该做的事

早上起床，趁着空腹，该做的第一件事是喝下面的饮品。

在“12 小时轻断食”的区间内也可以饮用；将早饭换成这些饮品也是完全可以的。

- 红豆粉泡汤　喝酒的第二天早晨，浮肿、双下巴
  红豆粉：1 大勺；热水：200 毫升
- 梅干粗茶　便秘、便软、疲劳感、血液黏稠、面部斑纹、黑眼圈
  梅干：1 个（未添加甜味剂的）；生姜泥：1 小勺；酱油：1.5 小勺；三年粗茶或热水：200 毫升
- 无菜大酱汤　提升体力、休养消化器官
  高汤粉或鲣鱼碎：1 小勺；大酱：1 大勺；热水：200 毫升

可以从网上买到红豆粉和梅干粗茶。

空腹时是提高自然瘦身力的最佳时机

如果把早饭替换成适合自身体质的饮品，可以提高身体的自我修复能力和瘦身能力。这些饮品可以使消化器官得到休养，而且让“轻

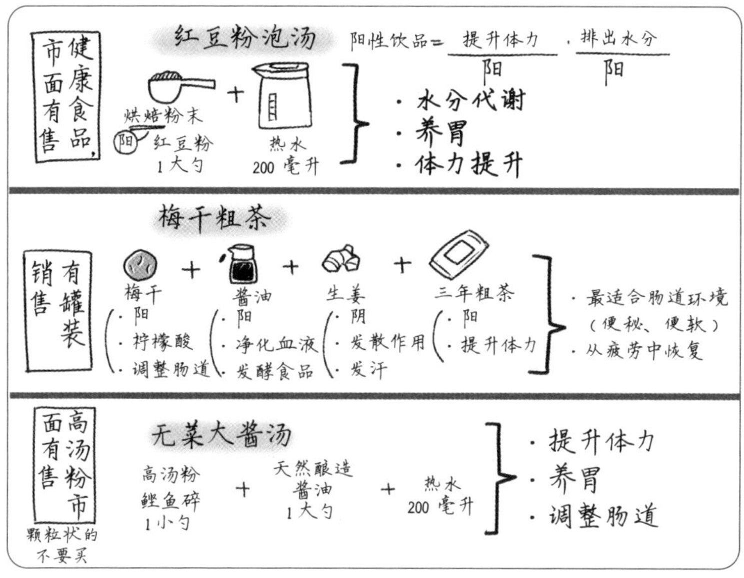

断食”的效果得到延续，防止血糖值的急速上升或下降。我在前面介绍过“12 小时轻断食”，在轻断食期间也可以饮用这些饮品。

红豆粉泡汤可以温暖身体，促进水分的排出，适合水滞体质的朋友。

梅干粗茶有“天然抗生物质”的美称，梅干所含的柠檬酸不仅可以**缓解疲劳感**，还具有一定的杀菌作用，能让我们的**肠道菌群达到平衡的状态**。所以，便秘、便软的朋友值得一试。

无菜大酱汤适合所有人，最适合在早晨为身体补充能量。购买大酱的时候，要选“无添加酿造大酱”。而且，有气孔的大酱最好，说明发酵还没有停止，大酱中活着的有益菌能在肠道内直接发挥作用。

如果感觉今天吃过量了，该怎么办？

睡前喝一碗“第一萝卜汤”，就能让进出平衡

确信可以调节：内脏脂肪淤积、血压、体寒、食欲、血糖值、浮肿

适合体质

水滞

该做的事

吃多了、喝多了的晚上，喝一碗热腾腾的“第一萝卜汤”。

特别是吃了太多肉食、油炸食物的日子，推荐喝一碗“第一萝卜汤”。

“第一萝卜汤”的材料

大萝卜泥：2 ~ 3 大勺；生姜泥：1/2 小勺

酱油：1 ~ 2 大勺；热水或者三年粗茶：200 毫升

要点

- 温度以 50 ~ 70℃为宜，边吹边喝，有点烫嘴的程度最好。
- 即使肚子里已经满是酒、肉，喝一碗“第一萝卜汤”后，第二天不仅不会胃胀，也不会有宿醉的感觉。
- 疲劳感比较强的朋友建议喝梅干粗茶（参见前一小节）。

在纵情享用美食、美酒的日子，喝一碗“第一萝卜汤”慰劳自己的身体

“第一萝卜汤”可以**让氧化的血液回归正常，消除体内的炎症。**

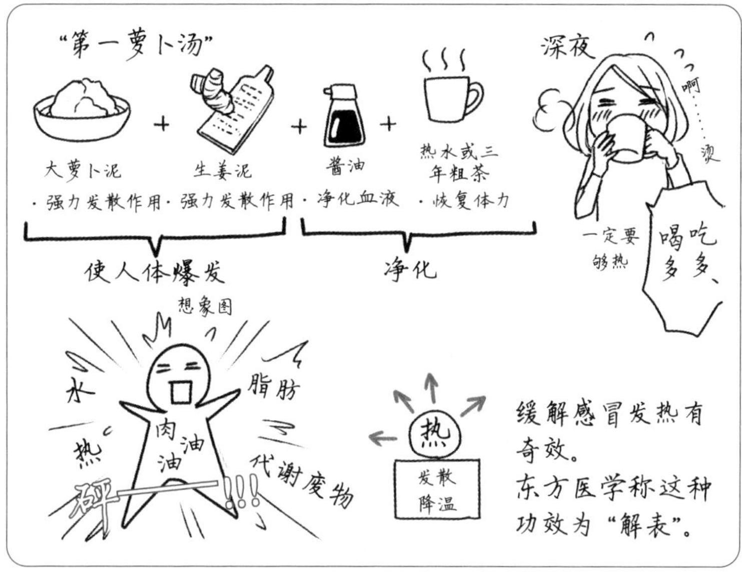

吃了动物性食物或油炸食品之后，人体会燥热不安，肠道被氧化，血液变得黏稠，而"第一萝卜汤"可以消除这些不良影响。

大萝卜、生姜都有解热、发汗的作用，还能促进新陈代谢，**加速将代谢废物排出体外**。三年粗茶是一款温暖身体的茶饮，做"第一萝卜汤"的时候，也可以用薏仁茶或热水代替。在纵情享用美食、美酒的日子，身体必然会承受很大的负担，为了不让好事变成坏事，"第一萝卜汤"无疑是保养身体的一剂"特效药"。

另外，**内脏脂肪是消化器官炎症的副产物。而"第一萝卜汤"的解热作用有助于消除炎症，防止内脏脂肪的形成**。不过，"第一萝卜汤"的效力很强，**一天之内喝 1 ~ 2 碗**就足够了。疲劳感比较强的朋友建议喝效力比较温和的梅干粗茶。

ADVICE 26

食材的颜色越深，能量越强

食用红黑色食材是瘦身诀窍

确信可以调节：体寒、食欲、血糖值、浮肿、疲劳感、妇科问题

适合体质

血虚 气虚

水滞

气滞

该做的事

选择黑色、红色的食材（有着色剂的食材当然不行）。

例 黑色（对肾脏好）：黑芝麻、黑木耳、海藻、蛤蜊、黑豆、黑米、香菇、牛蒡。

红色（对心脏好）：西红柿、辣椒、枣、枸杞、胡萝卜、鲑鱼等肉色为红色的鱼类。

要点

- 舌头深处白色舌苔多→ 肾脏弱、基础代谢水平低→ 黑色食物！
- 指甲容易出现缺口、开裂→ 气血不足，基础代谢水平低→ 红色食物！

为什么要这样做？

▶ 东方医学理论认为，“红 = 造血”“黑 = 抗老化”→ 防止因基础代谢水平低而造成的肥胖。

▶ 黑色、红色的食物富含“多酚（抗氧化物质）”，可以有效防止因氧化造成的血液黏稠。

▶ 黑色、红色的食物富含能控制血糖值的“绿原酸”和能消除活性氧的“花青素”。

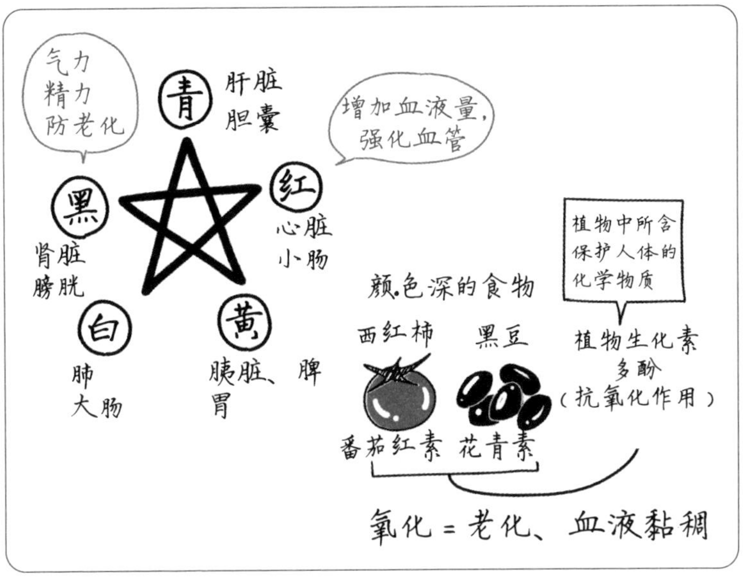

稍微吃一点就长胖的原因在于体力和血液不足

在东方医学理论中，认为**人的生命力储存在肾脏中**，生命力影响着身体的机能、生长和老化。而承载着生命力、将营养输送至身体各处的是**血液**。就像河流一样，水量充沛，河水才能顺畅地流，血液量将影响身体循环的顺畅与否。我们体内的血液除了向身体各处输送营养，还**负责回收代谢废物，以减缓身体的氧化（老化）**。

红黑色食物能够增加血液量、增强血流。植物含有植物生化素，它的作用是抵御紫外线和害虫侵袭。植物的颜色越深，说明所含的植物生化素越多。多酚是植物生化素中的一种，也是一种抗氧化物质，人体无法自己合成、分泌多酚，所以我们应该积极摄入富含多酚的食物。

每晚都想饮酒的人该如何控制？

想要戒酒的人，先控制肉食的摄入量

确信可以调节：食欲、血压、血糖值、浮肿

适合体质

该做的事

○将每顿饭荤菜的摄入量控制在蔬菜量的一半以下。

○菜谱以蔬菜为中心。

为什么要这样做?

▶动物性食物（特别是用盐腌制过的）的“阳性力量”很强，吃了之后会增加人对酒精等“阴性力量”的欲望。

▶动物性食物会给人带来兴奋感和紧张感，吃了之后，会让人无意识地向酒精寻求放松感。

▶人对酒精的依赖性比较强，如果强行戒酒的话，需要很强的自控力，这需要消耗很多的精神力量。但如果从控制肉食入手就比较简单。

控制肉食的阳性力量，减少对酒精阴性力量的欲望

对一些朋友来说，在晚饭时小酌几杯是一天中非常幸福的时刻，但这实际对身体不好。难以戒掉酒瘾的朋友，在日常生活中大多时间交感神经是处于优势地位的。他们可能精神压力比较大，经常感到紧张，于是，在潜意识中总想“让自己放松一下”。换句话说，这样的朋友身体里的“阳性力量”很强。

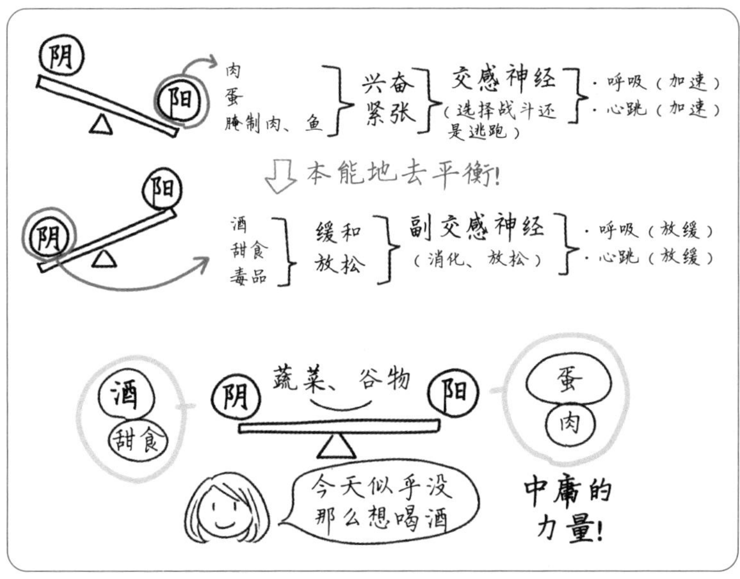

不仅外部环境可能使人紧张，阳性食物（动物性食物）也可能使人身体发热、内心紧绷，因为它们会让人的肌肉、血管收缩，从而产生紧张感。

酒是与动物性食物相反的一种饮品，可以使紧绷的东西变得放松，是一种极阴的饮品。**当我们减少动物性食物摄入量的时候，紧张感自然会减轻，那么对酒的欲望也会随之减少**。在想放松身心的日子里，首先我们应该减少动物性食物的摄入量，然后就不会太想喝酒了，只要稍加克制，就可以实现一天都不喝酒。

ADVICE 28

“味觉重启”最重要

想控制甜食摄入量的人可以用盐焗坚果替代甜食

确信可以调节：食欲、血糖值、血压、浮肿、倦怠感

适合体质

该做的事

○腹中饥饿的时候，不要犹豫，吃点盐焗坚果。

○感觉嘴闲，想吃东西的时候，喝点无糖的茶水。

○每周最多吃两次甜食。

盐焗坚果

- 选择没有添加调味料、没有使用植物油的盐焗坚果。
- 一次只吃 10 粒左右，一小把的量。
- 推荐核桃、杏仁。

为什么要这样做？

▶ 甜 = 吸收水分、膨胀、寒冷→ 体重增加。

▶ 人对甜食的依赖度高，降低接触的频率可以减轻吃甜食的欲望。

▶ 其实感觉嘴闲、想吃东西是大脑因口渴而产生的一种错觉。

▶ 盐焗坚果的营养价值高，咀嚼坚果还有使人放松的作用。

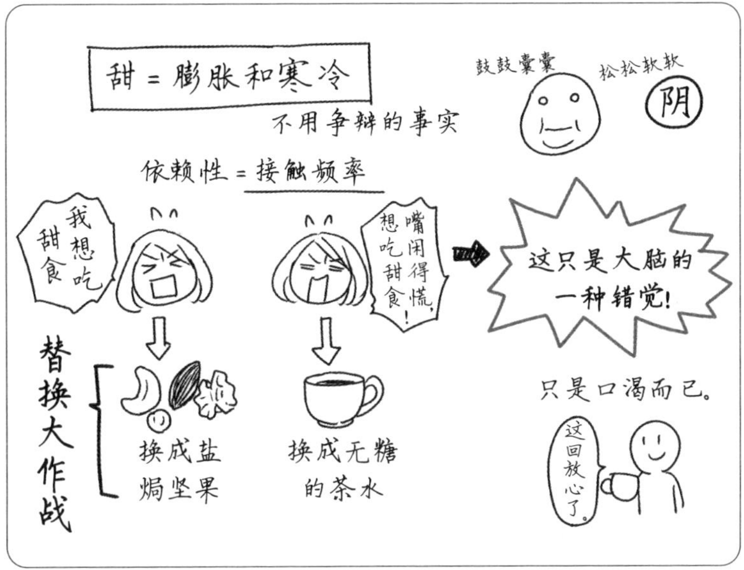

先降低接触频率

甜味食物会让我们的身体“膨胀”，而且，甜食会让人产生较强的依赖性，只有远离甜食，才能让身体运行在减肥的轨道上。

有人觉得戒掉甜食简直是一项不可能完成的任务，其实没有那么难。**只要将每周吃甜食的次数控制在两次以内就可以了**。据说我们人类的味觉三天就会发生变化，只要**坚持两个月左右**，降低我们吃甜食的频率，基本上就不会再是甜食的奴隶了。最理想的状态是让甜食成为一种可有可无的食物。

另外，口渴常会被大脑误以为是肚子饿了。**这时喝点茶水润润喉咙，也许您就会发现自己也没那么渴望吃东西了**。不过，喝茶一定要喝不含糖的。

适合体质

气虚 血虚

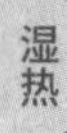

ADVICE 29

预防水分过多和体力不足的情况

如何改善脸部松弛、下垂的状态

确信可以调节：自主神经、倦怠感、疲劳感、皮肤松弛、浮肿、皮肤粗糙

该做的事

○ 将水果、甜食、酒的摄入量减半。

○ 喝具有利尿作用的茶来补充水分。

例 红豆茶、黑豆茶、玉米须茶。

○ 充分、扎实地休息。

为什么要这样做?

▶ 脸部多余的水分，会造成皮肤的松弛和下垂。

▶ 体力消耗过度，体内的“气”保不住，也会造成身体各部位的下垂。

即使某些食物不能完全戒掉也没关系，摄入量减半即可，还要让自己好好休息

随着人的不断老化，脸会变大，尤其明显的是会纵向变长。脸部变长的主要原因是脸部水分代谢变差以及保住“气”的能力降低。

如果平时水果、甜食、酒精等阴性食物摄入太多，多余的水分就容易积在体内。所以，要想让脸变小，首先应该减少摄入上述阴性

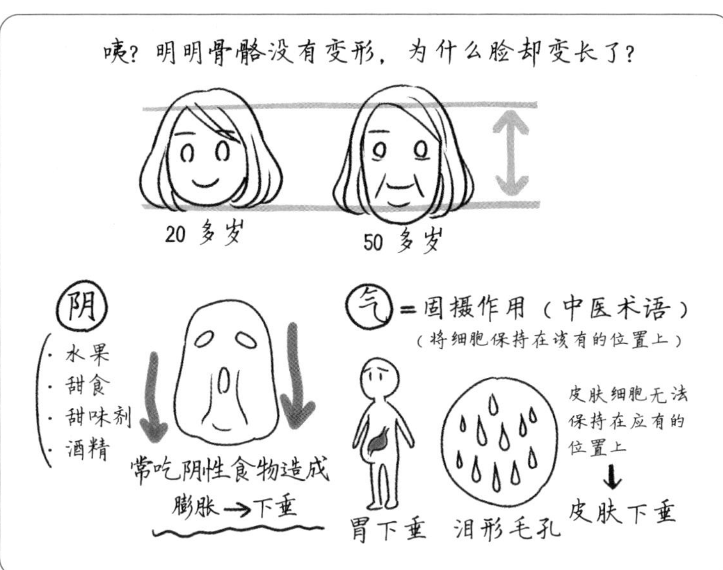

食物的次数和量。另外，应多饮用**红豆茶、黑豆茶**等有利于排水的饮品，在补充水分的同时，将多余的水分排出体外。

如果人长期处于疲劳的状态，脸颊也会松弛，从而下垂。这是因为“气”不足，固摄作用降低。这时就要警惕了，要想办法保“气”，否则容易引发胃下垂等内脏下垂的症状。最简单的方法就是**好好休息，少吃肉食、油炸食品等不容易消化的食物，不给胃增添负担，让身体得到彻底的休养**。

ADVICE 30

了解阴阳平衡和自己身体的状态
每天检查舌头

确信可以调节：体寒、浮肿、自主神经、精神压力、血压

适合体质
气虚 血虚
水滞
气滞
血瘀
湿热

该做的事

○检查自己的舌头。

※ 舌面颜色呈淡粉色。牙齿咬合时，舌头能收在牙齿之内，说明舌头大小正常。

※ 过去两天内所吃食物的性质容易反映在舌头上。

例 身体偏阴性、寒的时候，舌头会……
- 寒性强→ 舌苔呈白色而且厚。
- 体力不足→ 舌头肥大，边缘呈锯齿状，颜色淡。
- 多余的水分→ 舌头边缘呈锯齿状，颜色发白，口水多。

例 身体偏阳性、有炎症的时候，舌头会……
- 精神压力大→ 舌头两侧颜色偏红，舌苔厚。
- 血液黏稠→ 舌头呈紫红色，舌尖有红色小凸起。
- 有炎症→ 舌苔呈黄色而且厚（发热时尤甚）。

○发现舌头状态不正常的话，在保养的日子，饮食最好保持中庸（请参见本章第 6 节）。

昨天吃了一个汉堡，今天舌头就变红了

通过观察舌头来判断一个人的身体状况、体质，叫作“舌诊”，这是东方医学中常用的一种诊断方法。如果我们的饮食偏阳性或者偏

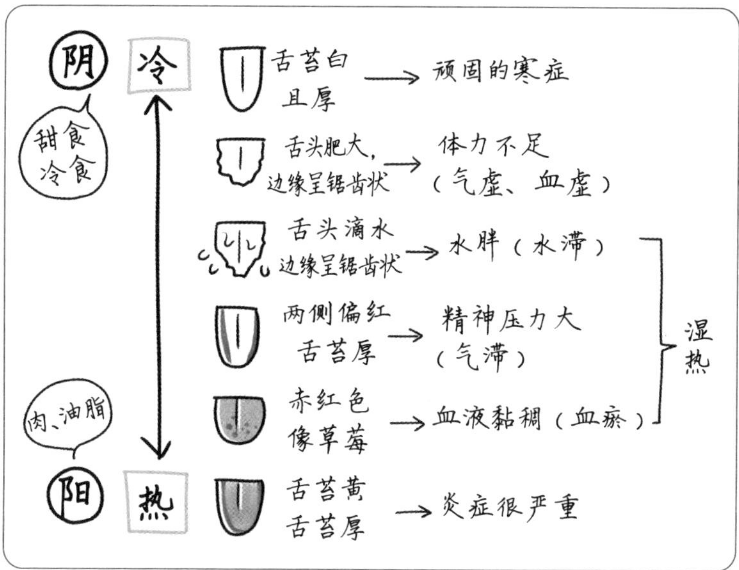

阴性的话，那么 1 ~ 2 天之后，身体的变化就会显现在舌头上。如果发现身体出现了状况，不妨回头反省一下这几天自己都吃了些什么。我们通过舌头表面的颜色可以判断身体的冷暖，根据舌头的形状可以判断身体里水分的多少。舌头发白的话，说明体寒；舌头发红或发黄的话，说明体内有炎症；舌头发紫的话，则表明血液循环不畅。感冒发热的时候，舌头往往会发黄，说明内脏热。另外，如果体内水分多，或者气不足，气的固摄作用（将细胞保持在该有的位置上）也不足，那么舌头就会膨胀，边缘还会出现锯齿的形状。

要想让舌头保持健康的状态，也就是让身体保持健康的状态，就需要保持“中庸”的饮食，坚持一段时间一饭一菜的饮食习惯，重启自己的身体。

(HEAL)

第二章

疗愈养生

疗愈身心，便可自然瘦身

ADVICE 31

全身瑟瑟发抖，手足冰凉

了解自己体寒的类型，想办法温暖身体

确信可以调节：疲劳感、体寒、肢体末端寒凉、消化问题

适合体质

该做的事

体寒的类型：

- 气不足型（气虚、血虚）——身体最核心的地方总是感觉冷，体力（气）不足，身体无法温暖起来。→基础代谢水平低、最怕夏天空调开冷气。
- 排水不畅型（水滞）——下雨天体寒！体内积了多余的水分，身体就像一个充满冷水的气球。→水胖、浮肿、妇科不调、情绪消沉。
- 幽灵血管（Ghost Blood Vessels）型（血瘀、湿热）——血液难以输送至手脚的毛细血管，手指、脚趾冰冷。→皮肤暗淡、高血压。

○ 气不足、排水不畅型

忌冰冷、辛辣食物，不要过度摄入水分。

○ 幽灵血管型

大萝卜、生姜可以让血液由黏稠变清澈，所以应多吃大萝卜和生姜。另外，通过按摩来唤醒毛细血管。

肥胖的真正原因——寒

“体寒”可以分为几种类型：第一种，气不足，导致身体温暖不起来；第二种，因体内水分过多而寒冷；第三种，毛细血管失去活

力，温暖的血液无法输送到肢体末端。**不管是哪种体寒类型，都有一个不争的事实，那就是人体的代谢机能低下。**我们都知道体寒就容易感冒，背后的原因就是低温导致免疫力差，所以容易被感冒病毒侵入。

要想改善体寒的问题，**先要暖胃，甜食、酒精等“阴性食物（容易使水分积在体内的食物）”还是戒掉为好。**建议**吃饭时配热汤，同时吃煮熟的蔬菜，不仅可以“养气”（提升体力），还能让黏稠的血液变清澈。**

对于气不足的朋友，我推荐吃**鲑鱼**。砂锅、火锅煮鲑鱼就是北海道（寒冷地区）的传统暖身料理。

ADVICE 32

用微波炉加热 1 分 30 秒

红豆热敷袋的治愈力

确信可以调节：疲劳感、体寒、肢体末端寒凉、消化问题、妇科问题

适合体质

气虚 血虚

水滞

气滞

血瘀

湿热

该做的事

用微波炉将红豆热敷袋加热，再用红豆热敷袋热敷 20 分钟。

（在网店或药妆店可以买到红豆热敷袋。）

A 热敷颈部

确信可以调节：肩酸、精神压力大、食欲。

可以放松的肌肉 / 缓解的症状：斜方肌 / 紧张、端肩膀、上半身肥胖。

B 热敷腰部

确信可以调节：消化器官、水分代谢、体寒、便秘。

可以放松的肌肉 / 缓解的症状：竖脊肌 / 腰痛、膝盖痛、驼背、自主神经紊乱。

对内脏的影响：增强肾脏、胃的活力。

C 热敷下腹部

确信可以调节：痛经、便秘、体力不足、水胖、下半身肥胖。

可以放松的肌肉 / 缓解的症状：髂腰肌 / 腰痛、股关节痛。

D 热敷踝关节

确信可以调节：肢体末端寒凉、腿脚浮肿、下半身肥胖。

可以放松的肌肉：比目鱼肌、腓肠肌。

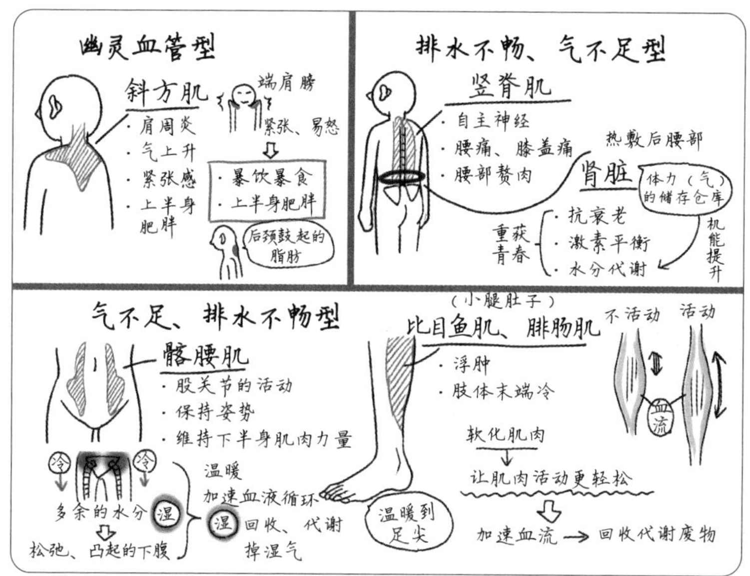

提升新陈代谢水平、控制食欲一举两得

普通的热敷袋只是“干热”，能够为肌肤表面升温，但红豆热敷袋是“温热”，通过散发出的热蒸汽，能够为深层的肌肉、内脏加温，并具有恢复肌肉、内脏机能的作用。

“新陈代谢”等于自然瘦身力，红豆热敷袋通过提升人体的新陈代谢水平，就能直接提升自然瘦身力。骨盆周围多余的水分，会让骨盆周边寒冷，从而淤积多余的脂肪。**使用红豆热敷袋温暖骨盆周围的部位就相当于打开了消除下半身多余脂肪的开关。**

另外，因为红豆热敷袋从深层温暖了肌肉的“芯”，便能让肌肉软化下来，从而消除不必要的紧张感。因为肌肉僵硬造成的紧张感也会造成精神的紧张和焦虑，甚至让人因为过度紧张而过度饮食。另外，通过饮食之外的方法让自己放松下来也是**控制食欲**的一个妙方。

艾灸疗法如此简单

简单易行，不用火的艾灸疗法

确信可以调节：疲劳感、体寒、肢体末端寒凉、妇科问题、消化问题

水滞

湿热

该做的事

将艾灸贴贴在穴位或身体发僵的地方（有效时间约 3 小时）。

※ 建议在紧张的时候、感觉冷的时候、肠胃不适的时候、阴雨天贴。

※ 在网上商城搜索“艾灸贴”就可以找到相应的商品。

肩部的穴位：肩井、大椎	适合的体质：气滞、湿热、血瘀。 确信可以调节：食欲、自主神经。
腹部的穴位：关元（丹田）	适合的体质：气虚、血虚、血瘀、水滞、湿热。 确信可以调节：全身冷、骨盆周围的赘肉、妇科问题、下雨天的水分代谢。
腰部的穴位：肾俞	适合的体质：气虚、血虚、水滞、湿热。 确信可以调节：全身冷到打寒战、便秘、驼背造成的下腹凸起。
膝盖下的穴位：足三里	适合的体质：气虚、血虚、水滞。 确信可以调节：肠胃、腿脚冷形成的皮下脂肪团（橘皮组织）、浮肿。
脚腕的穴位：三阴交	适合的体质：气虚、血虚、血瘀。 确信可以调节：妇科问题、肢体末端寒凉、腿脚浮肿。

不受时间、场所限制，随时随地可以通过艾灸贴感受温暖的力量

人体各处有很多穴位，使用艾灸贴温暖这些穴位可以**改善血液循**

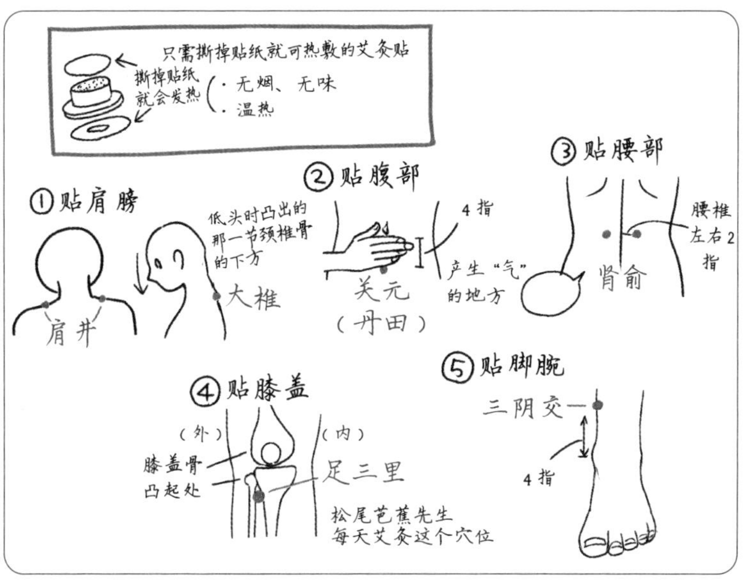

环，提升人体的自然愈合能力，从而治愈、改善身体的一些症状。艾灸贴无烟、无味，也不用点火，是一种非常安全的、可以提高新陈代谢水平的保健用品。**其实人体容易发胖、体力差等症状只是一种信号，说明人体的经络出现了阻塞的问题，气和代谢废物瘀滞其中，无法正常运行。**

另外，大家在找**穴位**的时候不用非常严密，只要**按压时有痛感**，穴位大体就在附近了。艾灸贴**不用点火**，只要撕掉贴纸就会自动发热，贴在穴位上就能起到艾灸的作用，简便易行。冬天我外出或登山的时候，都会带上艾灸贴，当感觉冷或肌肉酸胀的时候，就会贴在相应的穴位上，效果立竿见影。

ADVICE 34

不仅仅是为了清洁身体

泡澡的真正意义

确信可以调节：疲劳感、体寒、精神压力、消化问题、妇科问题、失眠症

适合体质 血虚 气虚 水滞 气滞 血瘀 湿热

该做的事

用 38～40℃的温热水泡澡，全身浴的话 5 分钟，半身浴的话 10～15 分钟。

※ 晚上泡澡时，泡到微微出汗即可。泡到大汗淋漓就过犹不及了，因为大汗淋漓的时候，人已经消耗了很多体力。

※ 往泡澡水中加入泡澡剂可以提升泡澡的温热效果；加入含有硫酸镁的浴盐可以放松肌肉、缓解紧张感，抑制因精神压力大而造成的过度饮食。

为什么要这样做?

- 泡澡时让身体微微出汗，可以将“阳性力量（交感神经处于优势地位的状态）”推出体外，同时引出“阴性力量（副交感神经处于优势地位的状态）”，从而达到调节阴阳平衡的作用。
- 当副交感神经处于优势地位的时候，人体就进入了睡眠、消化模式。
- 晚上，如果交感神经依然处于优势地位，那么睡眠和消化的质量必然低下。

夜晚，在体内保留太多“阳”，不容易入睡

在忙碌的日子里，“活动（阳）”的热量容易聚集在内脏和大脑里，常会导致消化不良、情绪烦躁和入睡困难。

晚上，要想办法让副交感神经处于优势地位，因为这时候，人的消化功能和睡眠质量都会提高。而泡澡就相当于开启了副交感神经的一个开关。泡澡泡到微微出汗，可以将体内的热量发散出来，让人体的核心温度下降，使人进入“静（阴）”的状态，困意也会随之袭来。另外，泡澡还能促进血液循环、放松肌肉、加速将体内的代谢废物排出体外。

凌晨1～3点是成长激素分泌（可以修复细胞）的时间，也是肝脏恢复的时间。所以，在这段时间进入深度睡眠是**激发自然瘦身力的绝好机会**。而睡前泡澡能提高睡眠质量，保证我们在凌晨1～3点进入深度睡眠状态。

ADVICE 35

如何避免月经前的暴饮暴食

如果感觉下半身冰冷、肿胀，用“半身浴”来温暖身体

确信可以调节：疲劳感、体寒、妇科问题

适合体质
血虚 气虚
水滞
气滞
血瘀
湿热

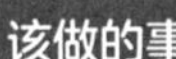

全身浴之后，再把小腿伸出水面进行 10 分钟的半身浴

→ 让血液集中到骨盆附近。

♥ 推荐的泡澡剂（或浴盐）

- 大萝卜叶：晒干的大萝卜叶可让代谢废物加速排出体外，改善血液循环，还有抗衰老的效果。
  在保健食品店、网店中可以买到大萝卜叶。
- 硫酸镁浴盐（参见上一节）

为什么要这样做?

▶腰部赘肉、下腹部水胖的根源是骨盆周围的寒气。

▶泡澡时把小腿伸出水面，让热量集中到骨盆附近，彻底温暖骨盆。消除肾脏、子宫的寒气，直接恢复肾脏、子宫的机能。

下腹赘肉常与妇科问题同时出现

骨盆周围的脂肪是因多余水分积聚导致的。如果骨盆寒冷的话，周围内脏器官的功能就会下降。特别是当骨盆周围的血液循环不畅的

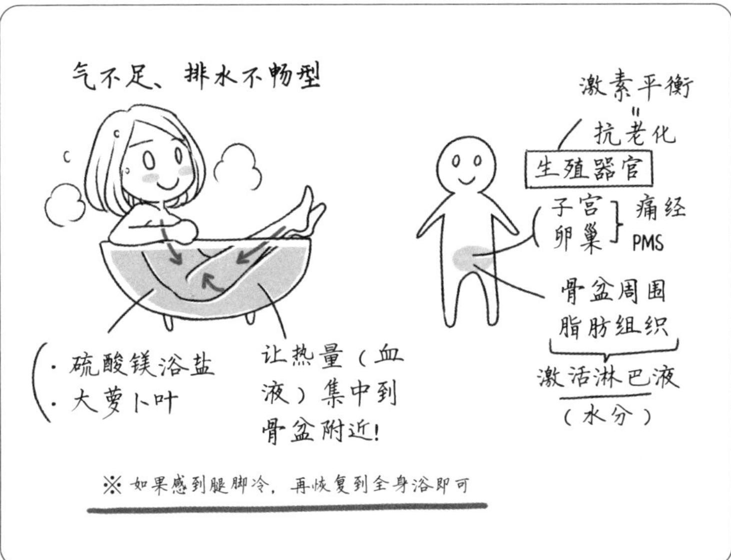

时候，女性经期排出经血就会不畅，容易引发痛经和 PMS。另外还会引发更年期内分泌失调。

很多女性在月经前或更年期会出现情绪失常、烦躁或者暴饮暴食的状况，其实只要注意温暖骨盆，改善骨盆周围的血液循环，就可以预防这些情况的发生。

饱受妇科问题困扰的朋友在泡澡的时候，我推荐“泡腰”——我命名的一种半身浴。在泡澡时把小腿伸出水面，让热量集中到骨盆附近。这样泡澡可以**温暖肾脏、卵巢、子宫等器官（都与抗衰老有关），从而提升它们的机能。**另外，我还**建议在泡澡水中加一些料，比如可以促进代谢废物排出体外的大萝卜叶和硫酸镁浴盐等。**

唤醒那些沉寂的毛细血管！
提高自然瘦身力，最强冷热交替浴

确信可以调节：疲劳感、肢体末端寒凉、消化问题、浮肿、失眠症

该做的事

在泡澡时，从浴缸中出来，从脚尖到大腿用冷水（20～30℃）冲 30 秒，直到皮肤呈红色就 OK 了！

※ 有高血压、心脏病的朋友禁用这种方法。

冷热交替浴的步骤

全身泡澡 3 分钟→ 冷水冲腿脚 30 秒→ 全身泡澡 3 分钟→ 冷水冲腿脚 30 秒→ 全身泡澡 3 分钟

※ 最后以全身泡澡结束。

为什么要这样做？

▶ 强烈刺激毛细血管，促进血液循环。

▶ 阴阳剧烈交替，调整阴阳平衡。

通过冷热交替刺激、唤醒毛细血管的活力

下肢肥胖又容易腿脚发冷的朋友，我建议您在泡澡的时候，中途从浴缸中出来用冷水冲腿脚 30 秒。在冷水的刺激下，当下肢皮肤变成红色时，说明毛细血管被激活了，血液流到了下肢。

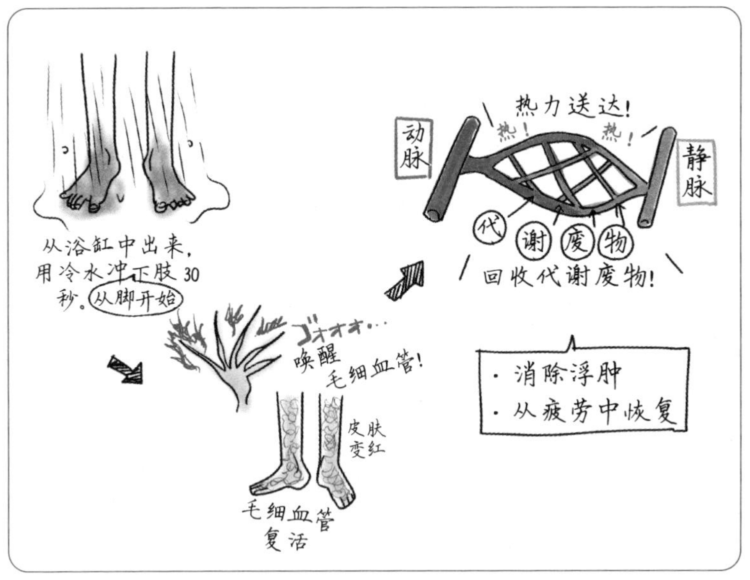

下肢肥胖又容易腿脚发冷的朋友，毛细血管活力低下，几乎失去了作用，甚至称得上是“幽灵血管”。通过冷热交替刺激，激活下肢毛细血管，可以回收血管中的代谢废物，减少下肢淤积的脂肪，消除浮肿。另外，这一方法还可以有效预防下肢静脉瘤的形成。

但是，如果在泡澡的过程中突然出来用冷水从头冲到脚，还是需要很大勇气的，而且这样的刺激过于强烈。所以建议**大家先用冷水冲脚，最多往上冲到大腿就可以了**。人体中最大的一个肌肉群就是大腿肌肉群。如果能把大腿肌肉群的紧张感和疲劳物质（乳酸）消除，**人体全身的疲劳感便会减轻很多，睡眠质量也会提升不少**。

ADVICE 37

不仅仅是瘦身
排出体内代谢废物的五个要点

确信可以调节：体寒、肢体末端寒凉、疲劳感、脂肪粒、皮肤松弛、皮肤粗糙、运动不足

该做的事

淋巴结是代谢废物的垃圾箱，按摩淋巴结 30 秒，可以加速将垃圾排出体外。

● 有较大淋巴结的五个部位：

A 腋下　B 锁骨　C 肋骨下方　D 腹股沟　E 膝盖窝

为什么要这样做?

▶ “肥胖”是原本应该被回收并排出体外的代谢废物（死亡细胞的尸体、脂肪、多余水分等）滞留在体内造成的。原本这些代谢废物应该由淋巴结吸收并排出体外，但是，如果淋巴结工作效率低下，代谢废物就会淤积在淋巴结中无法排出去。淋巴结一般位于关节附近，经常活动关节就可以促进淋巴结工作，防止代谢废物的淤积。而且，如果增加关节的活动，还能增加身体热量的消耗。

	代谢废物淤积的地方	变胖的地方
A	腋下	双臂、后背
B	锁骨	全身、脸
C	肋骨下方	腰部、整个躯干
D	腹股沟	下腹部、腿
E	膝盖窝	小腿、脚腕

长胖的原理

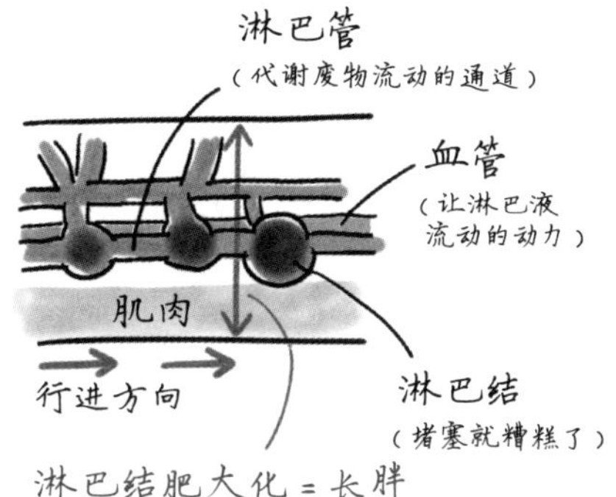

淋巴结肥大化 = 长胖

代谢废物淤积的部位与变胖的部位

是这样变胖的……
局部造成

B 锁骨（全身、脸）
A 腋下（双臂、后背）
锻炼也瘦不下来……
C 肋骨下方（腰部、整个躯干）
D 腹股沟（下腹部、腿）
E 膝盖窝（小腿、脚腕）

堵塞是肥胖之源！

按摩方法

各处按摩 30 秒

适合体质

A 腋下

抓住腋下前侧的肌肉，同时向后旋转肘关节 30 秒，大约旋转 30 圈。然后抓住腋下后侧的肌肉，同时向后旋转肘关节 30 秒。

B 锁骨

用食指和中指夹住锁骨，同时向上抬同一侧的肩膀，让食指嵌入锁骨窝。将食指和中指沿锁骨由内侧向外侧移动，按摩锁骨。（用右手按摩左侧锁骨比较方便，同理，用左手按摩右侧锁骨比较方便。）单侧锁骨按摩 30 秒，两侧合计按摩 1 分钟就可以了。

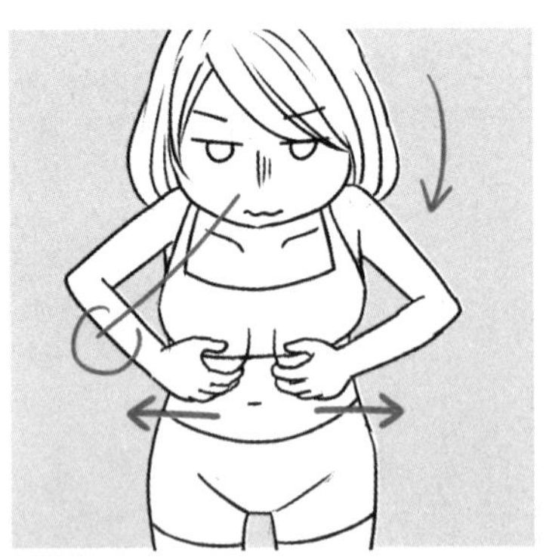

C 肋骨下方

用四根手指插入肋骨下方，上体前倾，让手指嵌入肋骨下方。然后用 30 秒时间缓慢将手指向外侧移动，对肋骨下方进行按摩。手指移动的同时，用鼻子向外呼气，效果更佳！

D 腹股沟

采用跪姿，将四根手指插入腹股沟处，上体前倾，让手指嵌入腹股沟。上体前倾保持 5 秒，再直立上体，如此反复 5 次。在上体保持前倾的时候，用鼻子向外呼气，效果更佳！

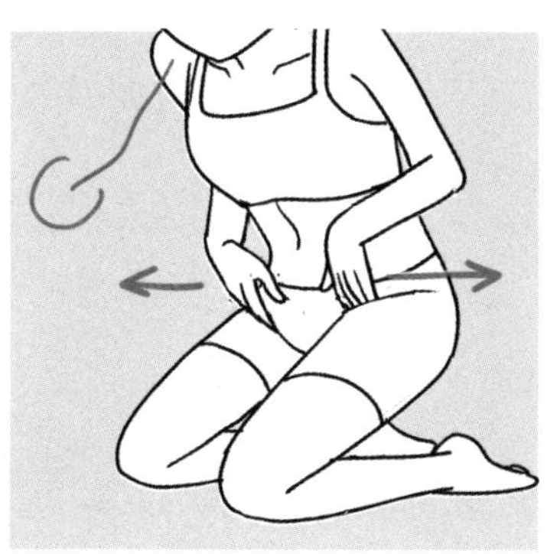

E 膝盖窝

采用坐姿，抬起一条腿，用双手大拇指按住膝盖窝，然后反复屈伸膝关节。单侧膝关节做 30 秒即可。

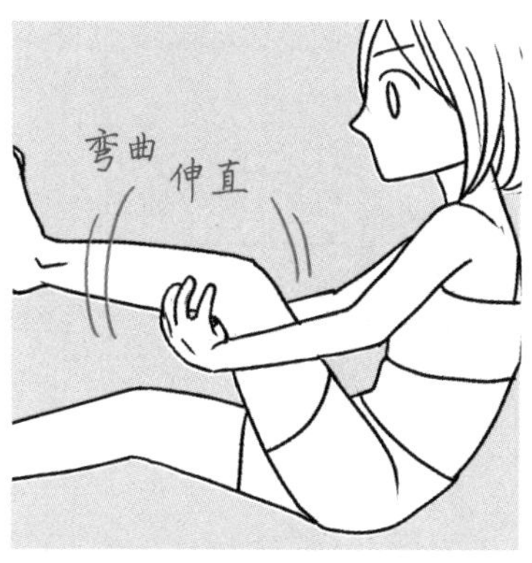

从根本上消除肥胖的方法就是将代谢废物顺畅地排出体外

淋巴系统是将体内代谢废物排出体外的重要系统，淋巴管聚集的地方形成淋巴结。如果淋巴结工作效率不高，就会导致代谢废物的淤积，越积越多的代谢废物是造成肥胖的根本原因。

所以，我们必须**消除淋巴结淤积的代谢废物，提高淋巴结的工作效率**，让代谢废物的流转变得顺畅。淋巴结一般位于大关节附近，经常活动这些关节有助于清除淋巴结中的代谢废物。

而且，经常活动关节还能**提高身体对热量的消耗**。从结果来看，**仅仅是增加日常的普通活动，并不需要额外的锻炼，就可以打造能自然瘦身的体质。**

让简单的日常行为变成瘦身的习惯

增加肌肉伸缩的幅度

确信可以调节：体寒、肢体末端寒凉、疲劳感、脂肪粒、皮肤松弛、运动不足

适合体质

水滞

该做的事

○收缩、伸展大块肌肉。

○侧腹、大腿前侧、肩背的肌肉比较大，要充分伸展。

为什么要这样做?

▶造成肥胖的原因之一是“肌肉紧张（持续收缩状态）”，通过伸展、收缩可以缓解这种状态。

▶当肌肉的伸展度变大，我们在日常生活中的活动幅度也会变大→日常活动就变成轻微运动了。

▶让肌肉的伸缩范围达到 50% ~ 150%。

▶肌肉收缩 50% ~ 100% 是力量锻炼→可以让肌肉增大。

▶肌肉伸展 100% ~ 150% 是拉伸锻炼→让肌肉在成长范围内增大。

日常生活中的很多活动都是适合减肥的运动

去健身房进行力量锻炼是一种能让肌肉收缩的运动，但如果力量锻炼不科学的话，会让身体突然变得很胖。另外，拉伸运动是让僵硬的肌肉放松、舒展的一种锻炼。打个比方，我们身体的肌肉就像黏土，收缩的话会变短粗，拉伸的话就会变细长。

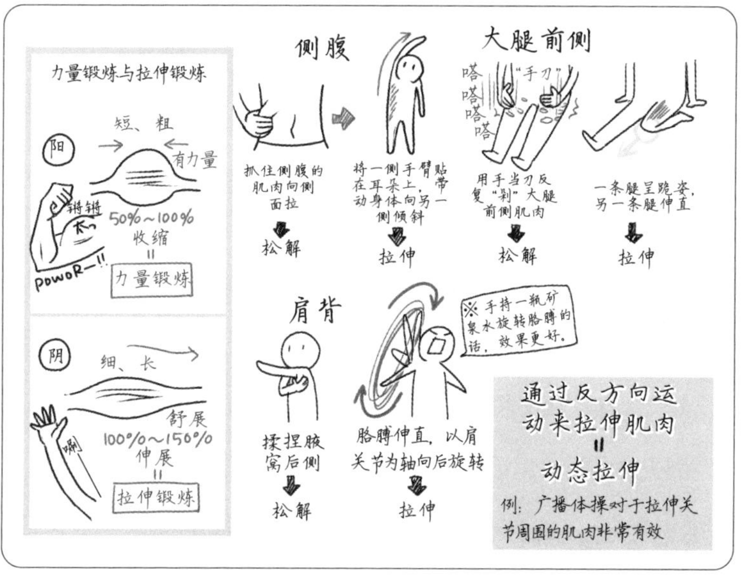

我们日常生活中的站立、行走、抬手……都属于低负荷有氧运动。**经过拉伸锻炼的肌肉可以让我们在日常生活中的动作幅度更大、更加顺畅，消耗的热量也会随之增加。充分活动大块肌肉和大关节附近的肌肉能够提高基础代谢水平**。早晨起床后，在充分松解肌肉之后，再做一段广播体操，是很好的动态拉伸运动。

肌肉拉伸之后，身体会更加灵活，"气"在体内的运行也会更加顺畅，**精神紧张和情绪消沉的情况也就能少出现了**。

ADVICE 39

身体重心偏移，腿就会发胖

把脚趾练柔软，下半身就可以瘦下来

确信可以调节：食欲、血压、自主神经、腰间赘肉、精神压力、疲劳感

适合体质

水滞

湿热

该做的事

○1 天 1 次！让手和脚“握手”，从根部活动脚趾。

○脚尖冷的话，用手指抠脚尖，让血液集中到脚尖。

为什么要这样做？

▶通过活动脚趾关节，调整身体重心→ O 形腿、X 形腿造成的腿部肥胖可以通过调整身体重心加以改善。

▶疼痛刺激可以促进血液集中→ 升温、收集代谢废物、消除脂肪粒和浮肿。

※ 正确的重心应该在踝骨正下方。

※ 鞋跟外侧磨损较为严重的朋友，说明身体重心不正，要引起重视。

您可以用脚趾玩“石头剪刀布”吗？

下半身和腿胖的朋友 90% 以上会感觉脚尖僵硬和寒冷，其原因是血液流动的不畅和身体重心的不稳定。**脚趾上翘的朋友，站立时身体的重心位于脚跟外侧，所以鞋跟外侧磨损会比较严重。O 形腿或 X 形腿的朋友，腿的外侧容易发胖**。长期穿高跟鞋的女性朋友，**身体的**

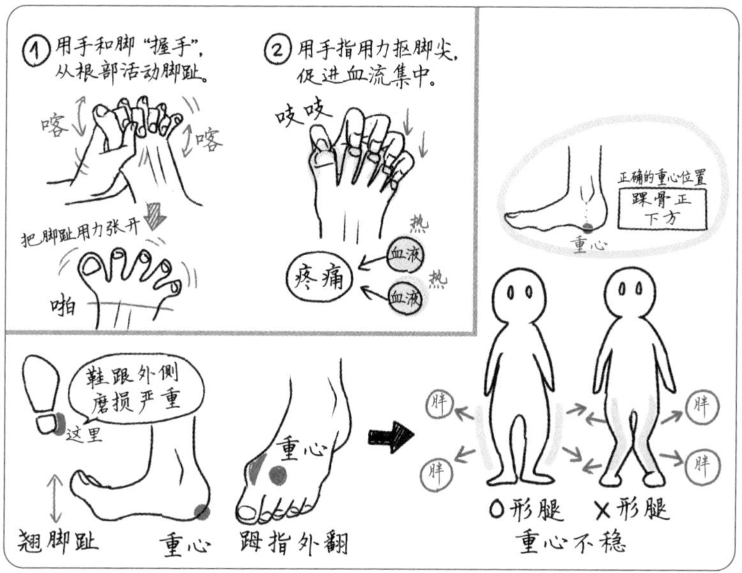

重心长期处于脚掌底部大脚趾根部的位置，不但容易导致小腿粗、大腿前侧胖的情况，还容易造成踇指外翻。

每天晚上躺在床上，即将结束一天忙碌的生活时，建议**放松一下僵硬的脚趾，给脚趾以适度的刺激，以调整身体的重心，促进血液循环**。这些刺激对于消除顽固的腿脚浮肿、脂肪粒也有一定效果。**平时，我建议大家穿五趾袜，以防止脚趾紧密地挤在一起。**

ADVICE 40

呼吸浅，肚子就凸出，这是肋骨的问题

揉搓肋骨可以瘦腰

确信可以调节：食欲、血压、自主神经、腰间赘肉、精神压力、疲劳感

该做的事

○揉搓肋骨，深呼吸。

○略微收腹，肩膀放松，肋骨就能保持正直。

为什么要这样做?

▶肚子是夹在肋骨和骨盆之间的柔软地带。

▶肋骨前倾的话，腹部就会受到挤压，从而腰腹部会横向发展。

▶胸部过度扩张的话，肋骨张开幅度过大，也会造成腰腹肥胖。

不要只盯着肥胖的肚子，要从肋骨入手！

BMI 高于 23 的朋友需要通过饮食养生减少内脏脂肪和皮下脂肪。

另外，虽然 **BMI 低于 22，但腰粗肚大的朋友基本上是肋骨有问题。**腹部是夹在肋骨和骨盆之间的一块柔软地带，上下方骨骼的朝向、距离将影响腹部代谢废物的排出效率。最常见的是弯腰驼背的人

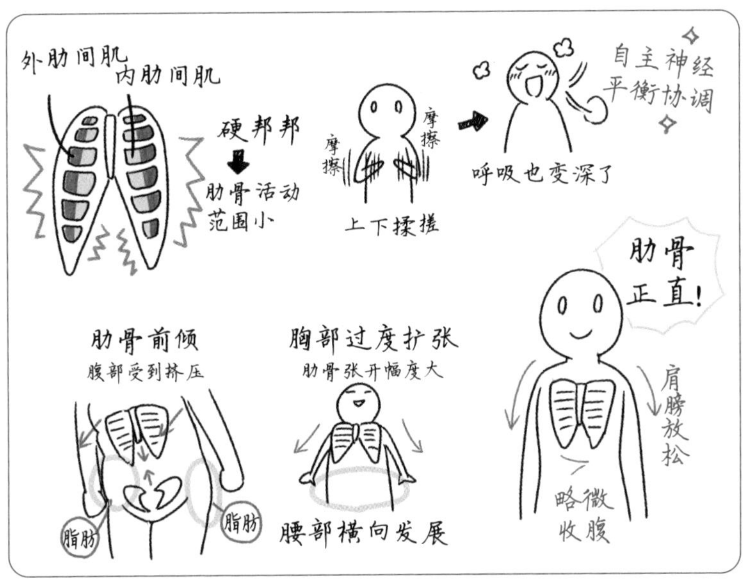

一般腹部也比较肥胖。因为弯腰驼背的话，肋骨上部会向前倾，从而使腹部受到挤压，只能横向发展。

为肋骨复位可以解决这个问题，但**肋骨的外面包裹着一层“肋间肌”，为肋骨复位需要先松解肋间肌**，最好的办法就是揉搓肋间肌。肋间肌得到放松之后，肺部膨胀受到的限制也会减少，呼吸加深，自主神经便得到了调整。

流传 4000 年的经验
绝对不要用尾椎骨支撑身体坐着

确信可以调节：食欲、自主神经、腰间赘肉、精神压力、疲劳感、消化问题

适合体质

血虚 气虚

水滞

气滞

血瘀

湿热

该做的事

坐的时候，一定要用两侧坐骨支撑身体。

不可以

• 坐的时候用尾椎骨支撑身体。
• 坐的时候只用单侧坐骨支撑身体。

为什么要这样做？

▶ 坐的时候用尾椎骨支撑身体的话，会造成驼背。
▶ 坐的时候只用单侧坐骨支撑身体的话，会导致骨盆歪斜，使部分腹部受到挤压。
▶ 坐的时候用两侧坐骨支撑身体，骨盆才能保持正确的姿态。
▶ 最不容易发胖的坐姿是盘腿坐。

有些坐姿可能增强肌肉，有些坐姿可能破坏内脏器官

社会上流传着一种说法：**比吸烟更恐怖的生活方式是久坐。坐的时间每增加 2 小时，人的死亡率就会提高 15%。**其实，久坐不健康的

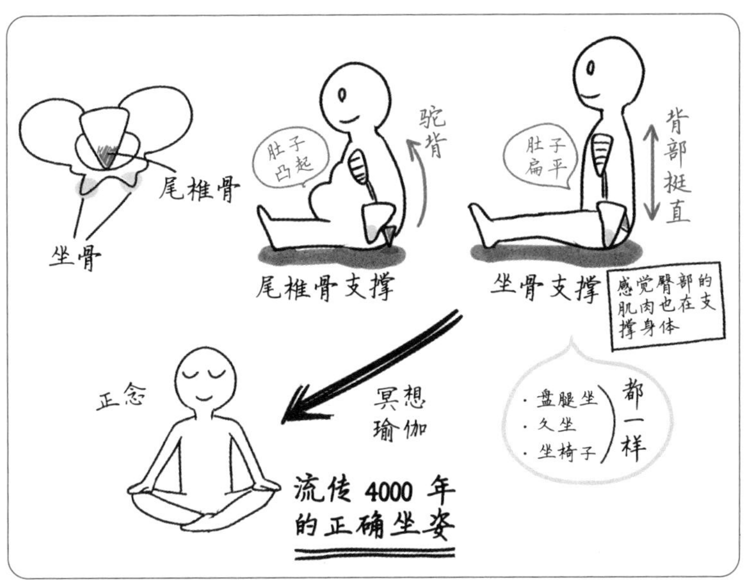

原因在于错误的坐姿。**当骨盆姿态正确的时候，脊椎骨和内脏不容易出现问题**。但**用尾椎骨支撑身体坐着**的时候，骨盆会向后倾斜，脊椎骨容易弯曲，导致驼背，同时肋骨前倾，挤压腹部，从而对胃、肠等内脏器官造成压迫。长此以往，**内脏机能必定受到影响**。

用两侧坐骨支撑身体的坐姿是 4000 年前从印度传出来的。因为印度人做瑜伽、冥想等需要久坐，所以他们在实践中发现了最合适的坐姿——盘腿坐。盘腿坐是用两侧坐骨支撑身体，并且这个姿势可以调整身体肌肉的平衡。这里所说的肌肉是指深层肌肉（inner muscle），深层肌肉的平衡、健康有助于提高人体的基础代谢水平。

不管是坐在椅子上，还是坐在床上，抑或坐在地板上，都要有意识地用两侧坐骨支撑身体，这是提高自然瘦身力的基本原则。

自主神经在哪里？

经常掐一掐后脖颈可以调整自主神经

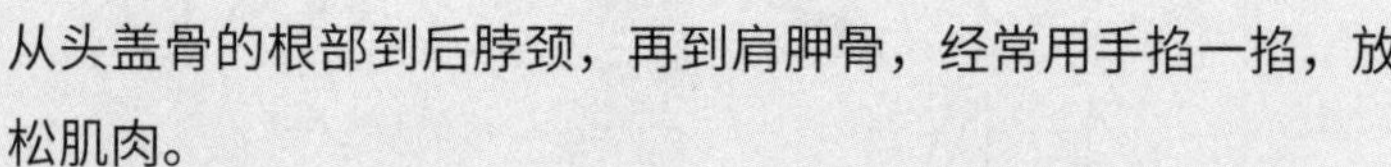

确信可以调节：食欲、自主神经、精神压力、疲劳感、消化问题

适合体质

气虚 血虚

水滞

气滞

血瘀

湿热

该做的事

从头盖骨的根部到后脖颈，再到肩胛骨，经常用手掐一掐，放松肌肉。

为什么要这样做？

- 从头盖骨的根部到脊椎骨的周围遍布着自主神经（交感神经和副交感神经）。
- 头盖骨下沉、颈部收缩会使自主神经受到压迫，甚至出现紊乱。
- 肩部的斜方肌长期紧张、僵硬的话，会使人的精神压力增大。

想要自然瘦身，便要利用好自主神经

所谓**自主神经**，是不受个人意志控制，为了维持生命活动而自主工作的神经。它们影响着内脏、血液、呼吸系统等的正常工作。我所说的自然瘦身力完全仰仗人体的基础代谢，而自主神经对基础代谢来说是非常重要的存在。

我们的脊髓、脑干中都有自主神经，如果脊椎发生弯曲、歪斜，颈部出现问题，都容易造成自主神经紊乱。驼背或者长时间低头看手

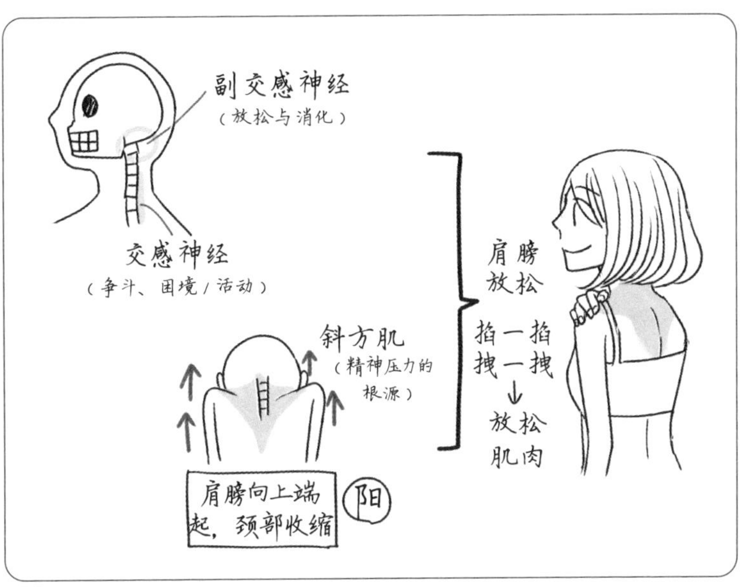

机会导致肩颈部的斜方肌紧张、僵硬。而斜方肌僵硬的话，脊椎骨就会弯曲，导致自主神经紊乱，从而使人的精神压力增大，结果会进一步造成斜方肌的紧张……这就陷入了一种恶性循环。

让后脖颈肌肉保持放松的状态，就可以摆脱上述的恶性循环。通过按摩放松肩颈部位的肌肉，会让人有一种如释重负的感觉，这就是副交感神经（负责放松）重新恢复了活力的证据。

握东西的方式影响身体的胖瘦

按摩大拇指根部可以瘦胳膊

确信可以调节：食欲、自主神经、精神压力、消化问题、失眠症

适合体质

血虚 气虚

水滞

气滞

血瘀

湿热

该做的事

○慢慢按摩大拇指根部的肌肉。

○按摩肘关节、两肋可以让人更苗条。

手里握东西时的注意事项

可以

• 大拇指握在其他四指上面

不可以

• 大拇指被其他四指握住

为什么要这样做?

▶握拳时，如果大拇指放在内侧，被其他四指握住的话，我们的肩关节也容易内旋，从而导致圆肩、驼背。另外还会僵化肩关节周边的肌肉，让代谢废物淤积于此（两侧大臂、后背）。

▶把大拇指放在内侧的握拳习惯会让交感神经（阳）处于优势地位，使人难以放松下来，导致精神压力的持续积累。

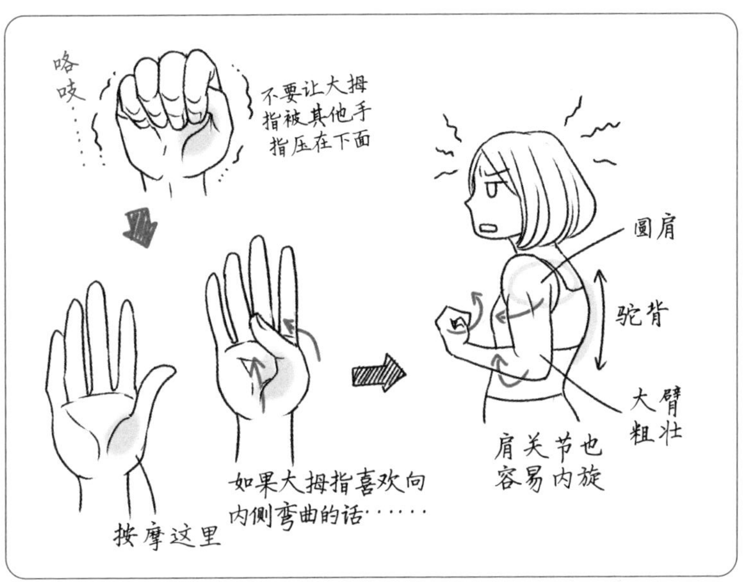

小方法大作用！改善圆肩、驼背、精神压力大

虽然大拇指处于我们肢体的末端，但它的力量还是很强大的。如果握拳的时候喜欢把大拇指压在其他手指之下，那么肩膀也会跟着内旋，并且会导致圆肩、驼背。圆肩、驼背是大臂粗壮、背部赘肉厚的根源所在，所以我们要想办法调节这些身体姿态的异常。逆向推演，想要消除肩关节内旋的毛病，先要克服握拳时大拇指被压在下面的习惯。

大拇指压在其他手指下面握拳时，握力会比较大。但如果形成了习惯，不需要很强握力的时候，人也会这样握拳，肩膀就会不自觉地跟着用力，结果会导致**斜方肌的紧张、僵硬**。相信大家都有体会，人在忍耐或压力大的时候，容易不自觉地攥紧拳头，反过来说，如果我们**养成不攥拳或放松大拇指的习惯，自然也能缓解精神压力。**

ADVICE 44

不要把脸往下拉

摇动下巴可以让人看起来更年轻

确信可以调节：自主神经、精神压力、消化问题、浮肿

适合体质

气虚 血虚 水滞 气滞 血瘀 湿热

该做的事

把三根手指放在下颌骨下方，温柔地摇动下巴。

为什么要这样做?

▶下颌骨下方的颈阔肌会将脸部组织向下牵拉，按摩这块肌肉能使其放松。

▶颈阔肌僵硬的话，嘴角就会下垂（形成类似斗牛犬一样的难看的脸形），而且颈部会出现横向皱纹，使人显得苍老。

脸部轮廓线不健康，最显老

如果人的脸部轮廓线下垂的话，就会显老。大多数情况下，脸部下垂是因为颈部前侧的颈阔肌僵硬。颈阔肌和下巴的运动是紧密联系在一起的，如果吃饭时不认真**咀嚼**，或者长时间低头看手机，会让颈阔肌因收缩变得僵硬，从而将脸部轮廓线向下拉。比如，形成嘴角下垂的“斗牛犬脸”，或者难看的“双下巴”。

让颈阔肌放松下来，它就不会再往下拉我们的脸了，脸部轮廓就会变得紧致。我们可以通过按摩颈阔肌来使其放松。颈部是神经分布

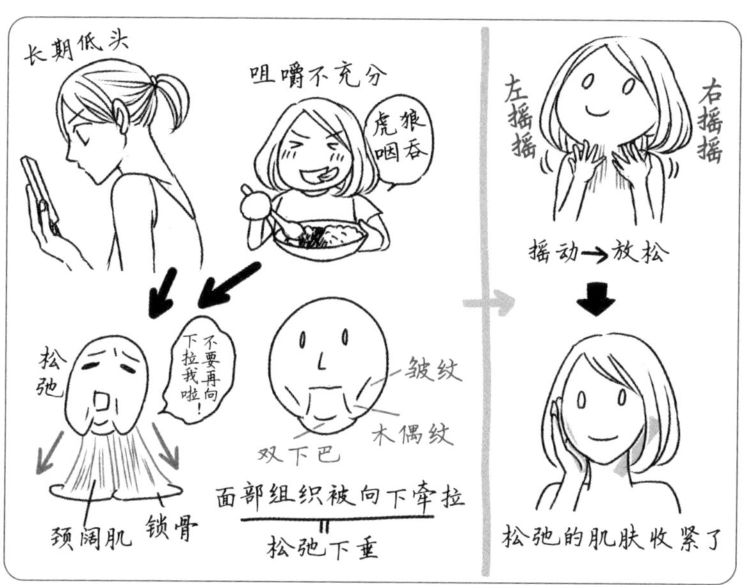

很密集的区域，按摩时不要用太大的力量，让颈部感觉到手指的存在就可以了。我们可以用三根手指放在下颌骨下方，然后温柔地左右摇动下巴。另外，**微笑的表情会使嘴角上扬，也可以调整面部轮廓线。**我每天晚上泡澡的时候，在按摩颈部肌肉的同时，也会做微笑练习，这是我每天的必修课。

美艳肌肤竟然由耳朵控制

经常拉耳朵可以让皮肤充满光泽

确信可以调节：自主神经、精神压力、消化问题、浮肿、皮肤暗淡、皮肤粗糙

适合体质

该做的事

从根部抓住耳朵，前后旋转五圈。

为什么要这样做?

- 耳朵根部有耳下腺（即腮腺），这个腺体是回收脸部代谢废物的地方，按摩耳朵有助于排出代谢废物。
- 耳朵后面有名为“三焦经”的经络，三焦经是负责水分代谢的。
- 刺激耳朵可以激活面部的毛细血管。

立竿见影！按摩耳朵进行面部排毒

耳朵根部下方的淋巴结叫作“耳下腺”，也叫腮腺，它负责回收面部的代谢废物。刺激这个部位可以改善面部浮肿和松弛的状态。因为**面部浮肿和松弛的元凶是“多余的水分（湿）”**，按摩耳下腺能够加速将多余的水分排出体外。

耳朵后面还有一条经络——“三焦经”。三焦经负责全身的水分代谢，所以刺激耳后有助于改善全身浮肿的状态。另外，咀嚼肌也有将脸部轮廓向上提的作用，按摩耳根也能刺激咀嚼肌，因此能够有效

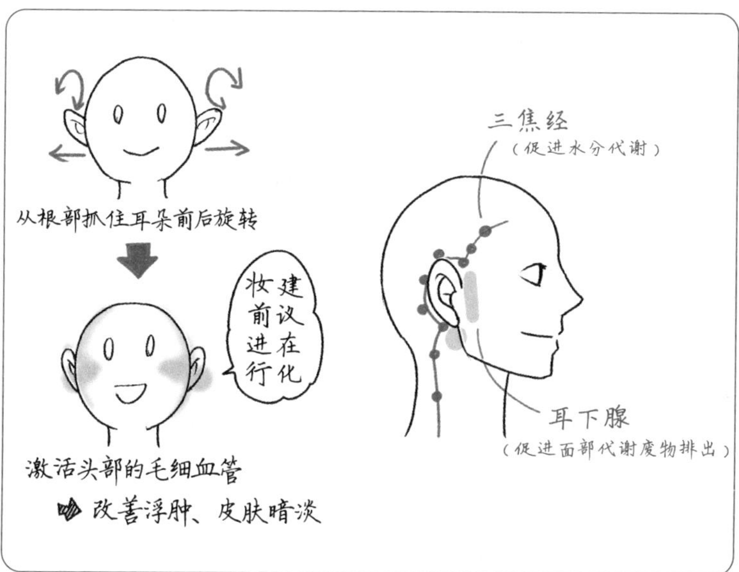

改善脸部松弛的状态。

按摩耳朵的效果立竿见影，大家可以做个实验，只按摩一侧的耳朵，您会发现两侧脸颊的高度以及浮肿的程度会出现明显的不同。建议大家在化妆之前进行按摩，这样可以增加面部的血色，改善脸部轮廓线。

因为湿度或气压变化而容易头痛的朋友大多属于水滞体质。对于这样的朋友，我特别建议进行耳部按摩，这样可以促进头部代谢，消除湿气。

ADVICE 46

用眼睛也能瘦身，你敢信？

治愈眼睛，改善血液循环

确信可以调节：自主神经、精神压力、血压、失眠症、疲劳感

血虚 气虚

水滞

气滞

血瘀

湿热

○将手掌捂在眼睛上，温暖眼睛 30 秒。

○工作空闲，闭目养神 1 分钟。

○合理利用眼镜来减轻眼睛的负担。

为什么要这样做？

▶ 眼睛疲劳会引发肝脏疲劳，增加精神压力，降低基础代谢。

▶ 眼睛要使用很多血液，过度用眼会导致血液循环恶化，容易引发失眠。

40 岁过后，养成经常闭目养神的好习惯

如果晚上长时间看电视、看手机的话，会导致大量血液都集中在眼部，那么**睡眠就容易出问题**。日本江户时代有一本养生书，名叫《养生训》（贝原益轩），书中写道：“**40 岁以上的人，在没必要用眼的时候最好闭上眼睛。**”

东方医学把眼睛和肝脏归为一个系统，认为“肝开窍于目”“肝气通于目”。肝脏影响血液，用眼要消耗大量血液，当眼睛疲劳的时

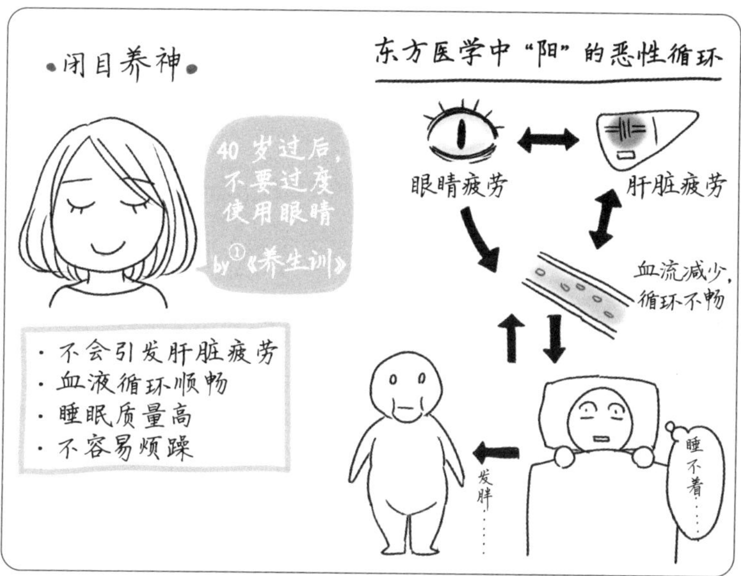

候，势必增加肝脏的负担，就会让人心烦意乱，精神压力增大。肝脏负担着三成左右的基础代谢任务，肝脏负担重，基础代谢就会下降。

特别是当血液系统代谢废物增加，血瘀、湿热的时候，要特别注意眼睛的休息。人在睡眠的时候，血液会储藏在肝脏中。所以，**建议大家在睡前两小时就远离手机和字很小的书籍。让眼睛休息，就是让肝脏休息，也就等于恢复基础代谢（自然瘦身力）。**

① “来自”的意思。——编者注

如何消除对甜食的欲望

想吃甜食时就梳头发

确信可以调节：自主神经、精神压力、血压、失眠症、疲劳感

水滞

该做的事

想吃甜食的时候，从上往下慢慢梳头发可以减少对甜食的欲望。

要点

- 推荐使用天然材质、齿比较稀的梳子，比如木梳、牛角梳等，因为天然材质的梳子不伤头发，而且更有利于气血循环。
- 从上往下尽量慢地梳头发，让副交感神经占据优势地位，向阴性靠近。

为什么要这样做?

▶想吃甜食的欲望，实际上是人想从紧张的状态中解脱出来的一种欲望，是体内的“气”在上升的表现。

▶梳头发的行为能让头部的“气”缓慢下降。另外，通过梳头发，让自己停顿一下，可以更加客观地看清自己的欲望。

梳头发不仅仅能作用于头发，还可以让整个头部放松下来

“现在我好想吃甜食！”产生这种欲望的时候，其实是人想从精神压力下摆脱出来的一种本能反应。这时，通过梳头发可以缓解精神紧

张，从而减轻想吃甜食的欲望。

从东方医学的角度来讲，其实紧张是“气”滞留在头部的一种状态。这种时候，我建议大家使用天然材质的梳子从上往下慢慢梳头发。通过梳头发的动作，让自己心中的欲望停顿一下，借这个时机，我们可以**客观地审视自己真正的欲望和行为**。如果我们没有这个停顿，而是直接通过吃甜食来满足表面的欲望，之后肯定会后悔不已。

据说，人心中怀有的强烈想法能够通过头发表现出来。比如“怒发冲冠”。再比如日本武士特殊的发髻造型，就是武士们争斗之心的表现。**平时喜欢把头发扎起来或盘起来的朋友，偶尔可以尝试散开的发型，或者下班回家后马上把头发解开，这样就可以缓解一天的精神压力**。

ADVICE

48

喜欢咬牙忍耐的人，脸容易变方

脸胖的应对方法

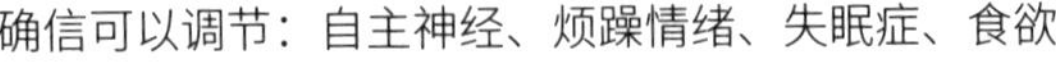

确信可以调节：自主神经、烦躁情绪、失眠症、食欲

适合体质

该做的事

○用手指按压颞下颌关节的下方，放松这一区域的肌肉。

○按摩耳朵上方的肌肉（颞肌），使其放松。

为什么要这样做?

▶如果咀嚼肌中的咬肌太发达的话，两腮就会很突出，让脸显得横向宽大。

▶咬肌僵硬的话，容易形成“紧咬牙关”的习惯，使人内心持续产生紧张感→颞下颌关节紊乱、在睡眠中磨牙。

▶耳朵上方的颞肌是咀嚼肌的一部分，对咀嚼有支持作用，这块肌肉也需要放松。

效果显著！改掉咬牙切齿的习惯

对繁忙的现代职场人来说，每天的精神压力很大，于是很多朋友养成了咬紧牙关对抗压力、忍耐现状的习惯。殊不知，这个习惯不仅会增加人的食欲，还会让脸显得很宽。特别是方形“国”字脸的朋友，他们经常咬牙，从而导致驱动颞下颌关节的咬肌、颞肌过于发达。建议这样的朋友多**用手指按摩腮部的肌肉，让它们不要那么僵硬。一段**

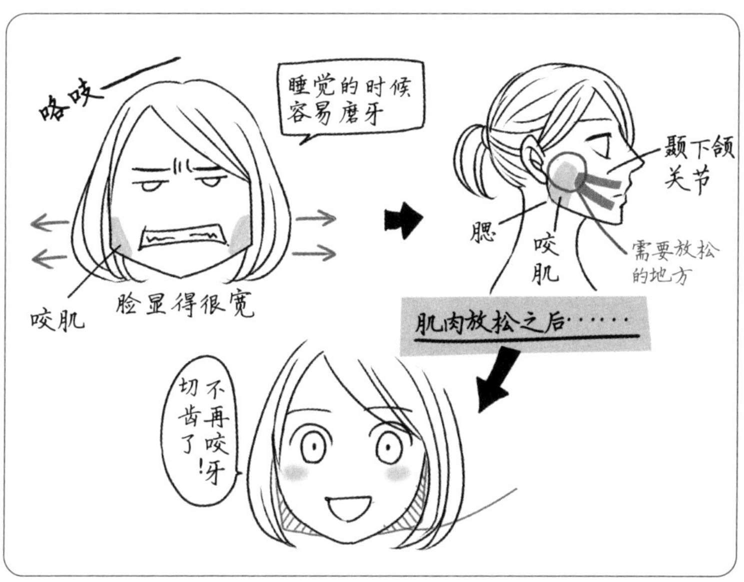

时间后，您就能看到瘦脸的效果。

要彻底消除精神压力，需要考虑内外多重因素，这是一项系统工程，实施起来难度比较大，但**要缓解精神压力给身体带来的反应还是可以实现的**。而缓解精神压力给身体带来的反应就是提高我们从压力状态下恢复的能力（也就是抗压能力），从而**培养强大的内心和身体**。

拿我个人的体验来说，我**第一次按摩腮部肌肉之后，就感觉脸明显变窄了**。于是，我愉快地坚持了下来，不知不觉间，我的颞下颌关节紊乱问题就完全消失了。

ADVICE 49

减少身体的厚度

调整上半身可以让人看起来瘦 3kg

确信可以调节：自主神经、烦躁情绪、失眠症、食欲

适合体质

该做的事

按摩上半身的“显胖肌肉”，使其放松。

按摩时用力揉捏，好像要让皮肤和肌肉分离一样（放松筋膜）。

※ 可以使用电动筋膜枪。

● 什么是“显胖肌肉”？

- 斜方肌→ 后颈、肩膀、上背部的肌肉。
- 三角肌→ 覆盖在肩关节外侧的肌肉。
- 肱二头肌→ 上臂前侧的肌肉。

为什么要这样做?

▶ 通过按摩放松肌肉可以防止显胖肌肉“肥大化”。

想瘦上半身竟然如此简单！

“壮硕的上臂”“厚实的肩膀”……对女性来说，上半身的形态极大地影响着整体身材。动物性食物（阳性）形成的代谢废物滞留在血液、肌肉中，会使上半身看起来有一种“壮硕的肥胖感”，建议这样的朋友**多吃蔬菜（阴性），加速将代谢废物排出体外**。

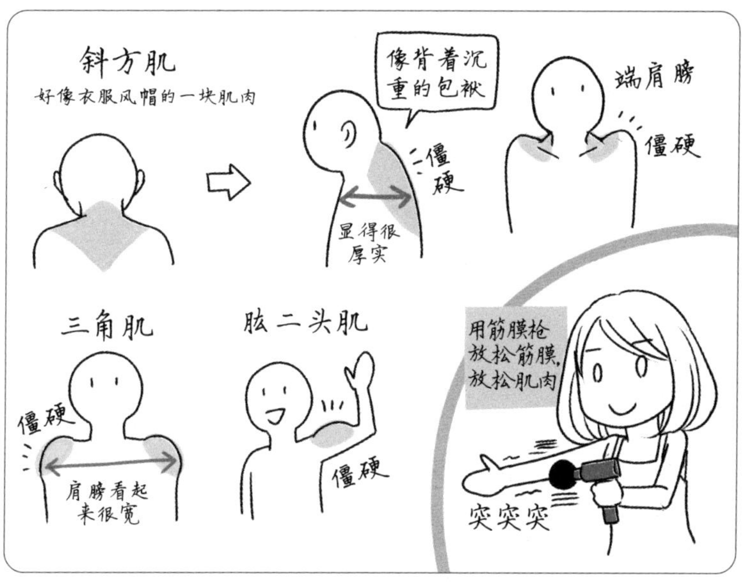

特别是上半身的斜方肌、三角肌和肱二头肌，充血之后体积会明显增大。其实想要获得苗条的上半身不难，只要养成放松上半身肌肉的习惯即可。

用力按摩可以让筋膜松弛下来，让肌肉变得柔软，但我还是建议大家再**辅以电动筋膜枪**的按摩。筋膜枪因为其细腻的动感，不仅可以无死角地松解筋膜和肌肉，还能给人带来空前的放松感。

ADVICE 50

把血液冻在冰柜里，它就不会流动了

痛经的九成原因是下腹受凉

确信可以调节：体寒、疲劳感、脂肪粒、皮肤松弛、精神压力、PMS

该做的事

○经期前一周就要开始温暖下腹部（红豆热敷袋、自热贴）。

○含有水果、乳制品的甜品摄入量要减半（减到一半以下或者完全不吃）。

为什么要这样做?

▶生理期，如果血流不畅、子宫收缩幅度变大，会进一步加重痛经。

▶骨盆周围寒冷的话，会让经血变黏稠，流动更加不畅。

▶骨盆周围的“水分系脂肪”可以说是内脏的冷藏室。

瘦身、缓解痛经，一石二鸟！

痛经和经前食欲暴增是困扰很多女性朋友的噩梦，这些问题是经血流动不畅的外在表现。经血中混有块状物的朋友，大多血液黏稠，血液中代谢废物多，而且容易发胖。另外，腰部周围含有水分的“冰冷脂肪”也是造成血液循环不畅的原因之一。有这些问题的朋友，建

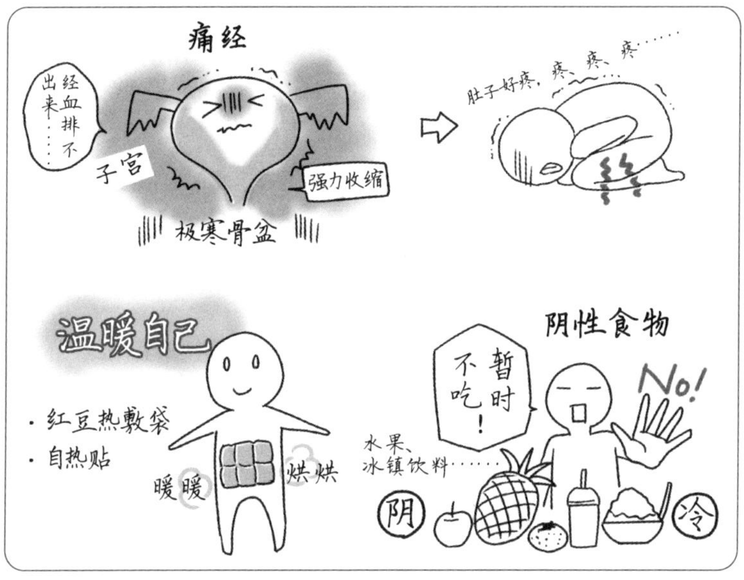

议不要吃水果和甘甜的乳制品，因为它们会让骨盆变寒。

总而言之，**女性朋友的首要问题是如何温暖骨盆。骨盆温暖之后，生理期就会好过很多。效果非常明显，大家可以试试。**通过外部方法温暖骨盆之后，还要管住嘴，那些会使身体寒冷的食物就不要吃了，尤其是**水果和乳制品。**

经血可以反映身体的血液状态，所以生理期也是女性朋友直观了解自身血液状态的一个好机会。

ADVICE 51

是刺痛还是钝痛？

头痛的原因分为血液黏稠和浮肿

确信可以调节：体寒、疲劳感、精神压力、肩膀酸痛

适合体质

该做的事

① 血液瘀滞造成的收缩式刺痛→阳性

- 一跳一跳地刺痛
- 头部固定的某个部位痛，同时常伴有肩膀酸痛
- 烦躁或兴奋的状态下头部发热
- 肝脏不调

解决方法

- 按摩放松颈部、肩膀的肌肉（斜方肌）
- 少吃动物性食物，多吃植物性食物
- 增加睡眠时间，养护肝脏

② 水分代谢恶化造成“膨胀”式的钝痛→阴性

- 头沉、钝痛
- 下雨天头痛加重
- 畏寒
- 精神上有压迫感
- 胃部不适

解决方法

- 多吃有利于排出多余水分的食物（红豆、黑豆、绿豆、海藻）
- 泡澡发汗
- 坚持 12 小时轻断食，让胃得到休息

收缩式头痛和膨胀式头痛的区别

肩部肌肉僵硬、酸痛造成血液瘀滞而带来的头痛是收缩式头痛，

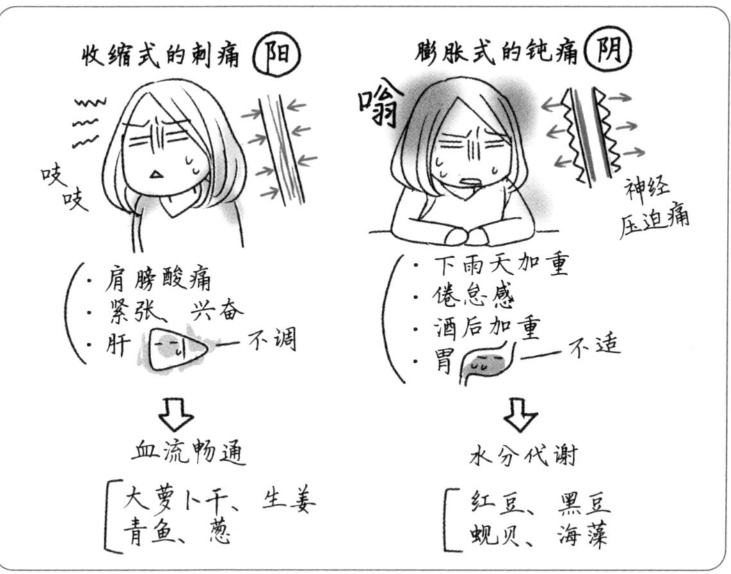

也叫紧张型头痛，属于阳性头痛。因为受到刺激造成血管收缩而产生的偏头痛就是典型的收缩式头痛。有过偏头痛经历的朋友可能都对那一阵一阵的刺痛心有余悸。遇到收缩式头痛的时候，可以**通过改善血液循环，纾解身体的紧张感来减轻乃至消除头痛的症状。**

在天气不好的日子或情绪消沉的时候产生的头痛一般属于阴性头痛，叫作膨胀式头痛。这是由于水分过多造成血管膨胀导致的头痛。这种时候，**促进水分代谢、温暖身体**是缓解膨胀式头痛的要点。酒是极阴性的物质，喝酒后，在水分和酒中乙醛的作用下，神经受到压迫而产生的头痛就是典型的膨胀式头痛。

收缩式头痛是阳性的，膨胀式头痛是阴性的。不管是哪种头痛，从结果上看，都会和肥胖联系起来。所以，我们要重视头痛的症状，先分辨头痛的类型，再采取相应的改善方法，争取从根本上解决头痛的问题。

ADVICE 52

调整血液的通道
改善饮食方法加按摩可以减轻更年期综合征

确信可以调节：自主神经、上火、体寒、疲劳感、精神压力、肩膀酸痛

该做的事

足部按摩、足部保暖。

为什么要这样做?

▶ 更年期综合征产生的原因是血液循环变差。

- 更年期综合征中共通的一个状态是“上热下寒”

  上热的症状：上火、面部潮红、多汗、烦躁、心悸、眩晕

  下寒的症状：浮肿、体寒、忧郁

♥ 消除方法

- 多吃可以稀释血液的食物，增加睡眠时间

上半身燥热，下半身冰冷

女性在闭经前后的10年间容易出现更年期综合征。当然，每个人的具体症状有所不同，但**共通的一点就是“上热下寒”，即上半身燥热，下半身冰冷**。

更年期综合征与雌激素密切相关，但进一步分析的话，**更深层的**

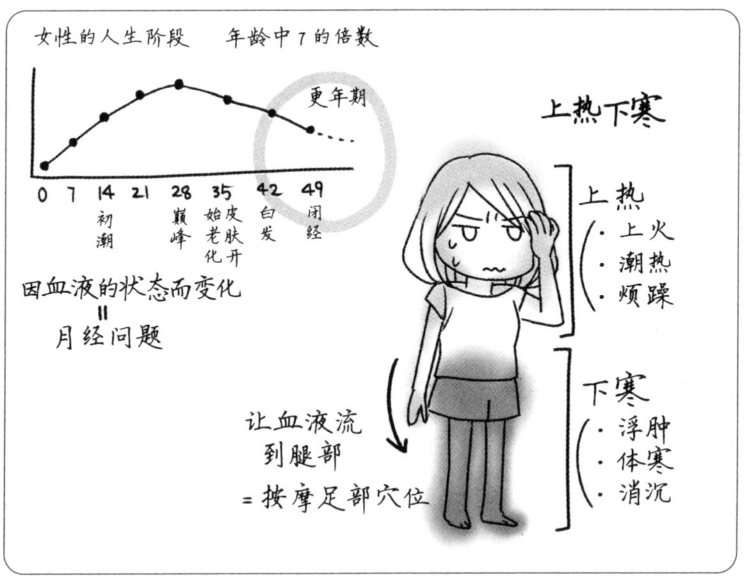

原因在于血液的状态。所以，**女性朋友保持良好的饮食习惯，通过饮食让血液保持清澈，让血液循环保持顺畅最为重要**。

要改善更年期综合征的症状，首要的就是需要**把血液引导到下半身**。大家可以通过**按摩、泡脚等方法**，有意识地让上升的“气”下沉到脚部，这样就可以缓解“上热”，同时消除“下寒”。睡前按摩脚部的穴位、用热水泡脚，让上攻到头部的“气”下沉，从而冷却头部，还可以**提高睡眠质量**。

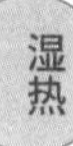

ADVICE 53

感觉快要下雨了
气压低的时候，胖人怎么消除不适感

确信可以调节：自主神经、浮肿、体寒、疲劳感、精神压力

适合体质：血虚 气虚　水滞　气滞　血瘀　湿热

该做的事

○按摩耳朵周围的区域（帮我们感知气压变化的是内耳）。

○多吃有利于排水的食物，将多余的水分排出体外→ 红豆粉汤、红豆茶。

※ 参见第 24 节。

为什么要这样做?

▶当我们的身体所处环境的气压降低时，体内的血管、淋巴、细胞就会膨胀，尤其是水分的代谢会变差。

▶气压低时常见的症状有眩晕、头痛、恶心、情绪低落、关节痛、倦怠感等。

为什么气压低的时候，日本人的身体容易出现不适?

“最近身体不在状态”“这几天腿肿得厉害”“胃不舒服”……每当遇到气压低的天气，身体就会出各种状况。有这种情况的朋友是因为在气压低的时候，体内的细胞、血管发生了膨胀，给身体带来了不良的影响。气压低的时候，**空气中湿气的含量高**，进入人体造成水分

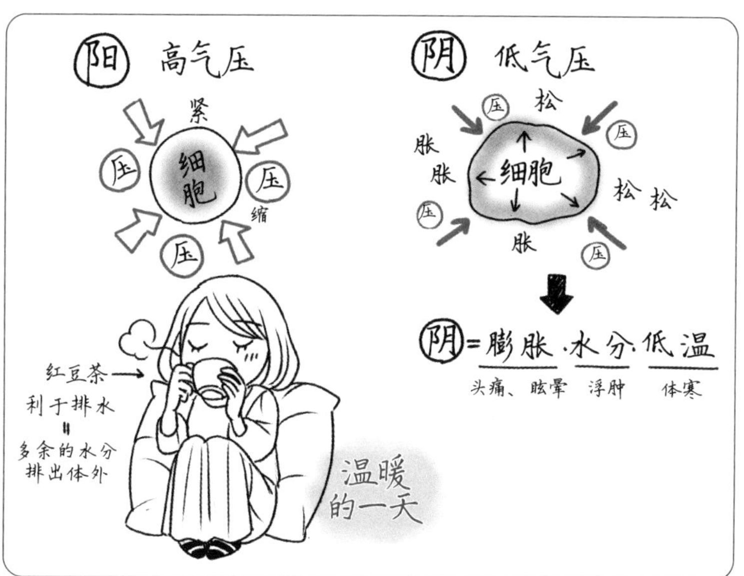

过剩，进一步增加了膨胀的程度。**多余的水分不仅会使身体的温度降低，还会让“气”下沉，使人的情绪消沉。**

日本是个岛国，四面环海，雨水较多，所以日本人在低气压的环境下出现身体不适的情况比较多。而且，**从遗传的角度来说，日本人的水分代谢能力比较弱。**自然环境和遗传因素无法改变，但我们有办法消除进入体内的湿气。**接受无法改变的事实，尽力采取应对措施，就是自古流传下来的养生智慧。**

第四章

感受养生

改变感受方式，便可自然瘦身

(FEEL)

情绪忽高忽低地波动才是正常人
人的身心起伏是正常现象

确信可以调节：体寒、疲劳感、浮肿、精神压力

适合体质

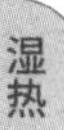

该做的事

请大家要有以下觉悟：

“世间万象皆蕴含阴阳运行的规律，时刻处于变化之中。”

“人的情绪、身体状况都会随着阴阳的偏转而变化。”

“体内阴阳也会随环境、季节、感情的变化而变化。”

为什么要这样做?

▶“阴”和“阳”并没有好坏之分。

▶接受现状，并尽力采取应对方法，才是减肥、养生之道。

我们无法逃离阴阳的偏转

当我们感觉身体状况不佳、体重增加、心情不好的时候，东方医学认为这是身体的“阴阳平衡”发生偏转的外在表现。为什么体内的阴阳会发生偏转呢？首先明确一点，**这并不一定完全是我们的责任。**举个例子，春、夏、秋、冬的更替就是阴阳偏转引起的自然现象。另外，我们心中的喜怒哀乐等感情也是阴阳偏转的表现。这些都是无法抗拒的。

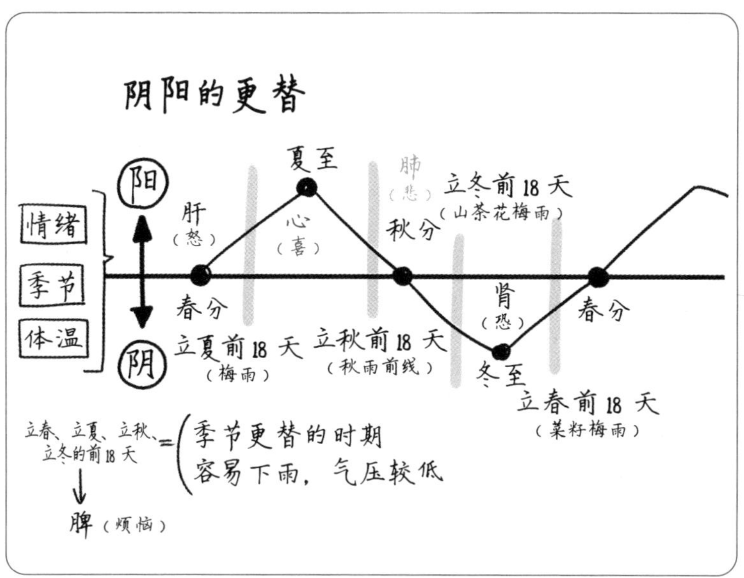

“阴阳偏转”跟好坏、善恶没有关系。我们**没有必要厌恶阴或阳任何一方。要学会接受因为季节、环境、感情的改变而造成的阴阳偏转，并顺势而为，尽力应对就可以了。**如果不接受现实，越是抗拒，阴阳偏转的幅度就会越大。**尽量减小身心阴阳偏转的幅度就是养生。**

ADVICE 55

人在烦躁不安的时候，眼睛也会疲劳

用深呼吸和调整饮食的方式来平息怒气，养护肝脏

湿热

确信可以调节：食欲、血压、精神压力、疲劳感、睡眠不足

该做的事

○感到愤怒的时候，请深呼吸！

○多吃养肝、护肝的食物。

例 香草茶、菊花、芹菜、薰衣草、柑橘、绿叶蔬菜（深绿色蔬菜）。

为什么要这样做？

▶通过调节自主神经和血液量，把气血输送到肢体末端。

●身心与肝脏的关系

- 眼睛：由自主神经驱动。视力降低是由肝脏控制的血液量减少所致。
- 愤怒：肝脏掌管情绪。
- 青色：人发怒的时候，会青筋暴起，眼睛下方会发青。
- 春季：容易肝火旺盛。可以多吃绿色食物（深绿色的蔬菜、青背的鱼等），有助于平抑肝火。

精神压力大造成的暴饮暴食和睡眠质量低下，背后的原因都是“肝热”

其实烦躁、愤怒都是“肝火（肝脏的热）”上升，瘀滞在头部的

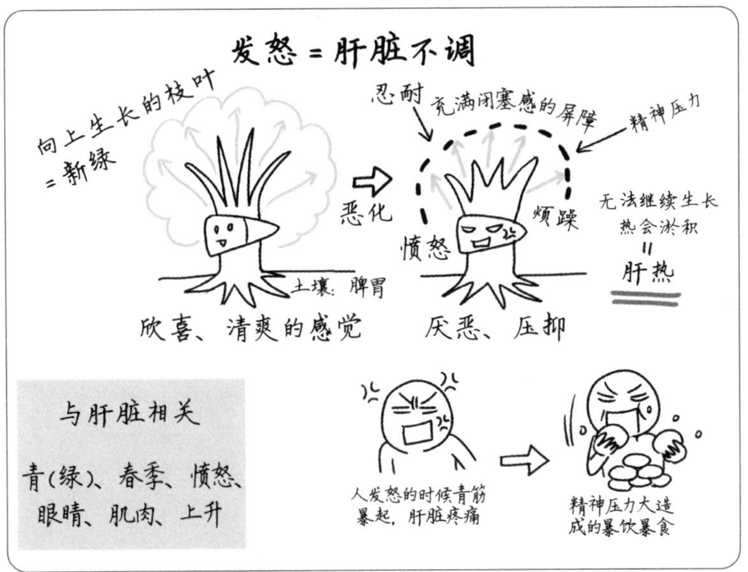

表现。

精神压力大会导致肝脏不调，进而导致暴饮暴食、血液黏稠的症状，这些都和肥胖有直接关系。**在晚上睡觉之前，如果肝火旺盛的话，人就会持续处于兴奋的状态，从而导致入睡困难，即使睡着了，睡眠质量也不高。**

眼睛疲劳、干涩、总是睡眼惺忪、视力下降也可能是由肝脏不调引起的。因为肝脏不调会导致自主神经紊乱和头部供血不足，这些都会引发眼睛的问题。

当我们感到烦躁的时候，可以有意识地**通过深呼吸来平抑肝脏的热**，让肝脏得到充分的休息，通过养肝的食物保养肝脏，能够调整自主神经，改善血液循环，从而保持情绪的稳定。

ADVICE 56

情绪大起大落对健康不利

高兴过头对心脏不好

确信可以调节：食欲、血压、低血压、精神压力、疲劳感

适合体质

该做的事

○开心时也要控制情绪，别高兴过头了。

○多吃养心、护心的食物（安神食材）。

例 枣子、牡蛎、扇贝、洋甘菊、咖啡、红色蔬菜（西红柿、红椒）。

为什么要这样做?

▶强化血脉，促进血液循环。

▶锻炼思考力、记忆力等精神（脑力）活动，提升心脏的机能。

● 身心与心脏的关系

- 舌头：内心过度激动会从舌头上反映出来。
- 喜悦：情绪高涨的状态也容易造成情绪的急速降低（躁郁症）。
- 红色：心脏机能的减弱会以红舌头、红脸的形式表现出来。
- 夏季：阳气旺盛、炎热的季节，人容易变得过于积极，甚至具有攻击性。

过度兴奋会使判断力降低

喜悦、快乐等都是大家追求的正面情绪，但如果这些正面情绪过度了，且长时间持续下去的话，将使我们体内的血液循环发生改变，

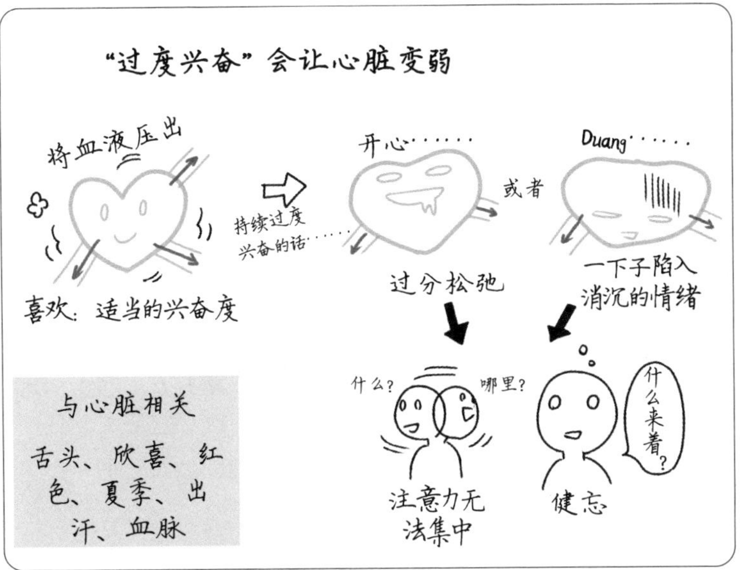

并给心脏造成负担。过度兴奋会使人的血压升高，让心脏的泵血机能疲劳。另外，长时间保持喜悦状态的话，人的“气”容易涣散，从而使**注意力分散、判断力降低**。而且大家可能深有体会，在持续兴奋一段时间后，容易**瞬间陷入消沉的状态**，这就是心脏负担过重的信号。

夏季是心脏最为活跃的季节。在这个季节，人的行动比较积极主动，情绪也容易兴奋，身心都偏“阳”。我建议大家**在夏季偶尔进行“森林浴（一种自然疗法，到森林中去放松身心）”，去感受森林等场所的阴性力量。另外，在夏季，每天要给自己留出一点“冷静的时间”来调整满身的阳气**。人在过度兴奋的时候，判断力会降低，所以这时最好远离商场、超市或网店，以避免不必要的消费。

ADVICE 57

“差不多就行了”是瘦身的关键

烦恼过度容易导致胃痛

确信可以调节：食欲、浮肿、消化问题、精神压力、疲劳感

适合体质

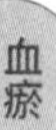

该做的事

○对于过去后悔的事情，对自己说一句：“算了吧。”对于未来的担忧，轻松地说一句：“应该没问题的。”

○多吃对脾脏有益的食物（健脾食物）。

例 大米、薏仁、山芋、大豆、南瓜、三年粗茶。

为什么要这样做？

▶肩负消化吸收重任的是气、血、水，而制造气、血、水的工厂是脾胃。所以我们要想办法提高这些内脏器官的机能。

▶脾胃机能降低会导致体力不足、水分代谢不畅和血液黏稠。

●身心与脾胃的关系

- 烦恼：引发胃部炎症和浮肿。
- 黄色：脾胃出问题会导致皮肤和舌头泛黄。
- 立春、立夏、立秋、立冬的前 18 天：属于季节更替的时期，湿度高，脾胃容易出问题。

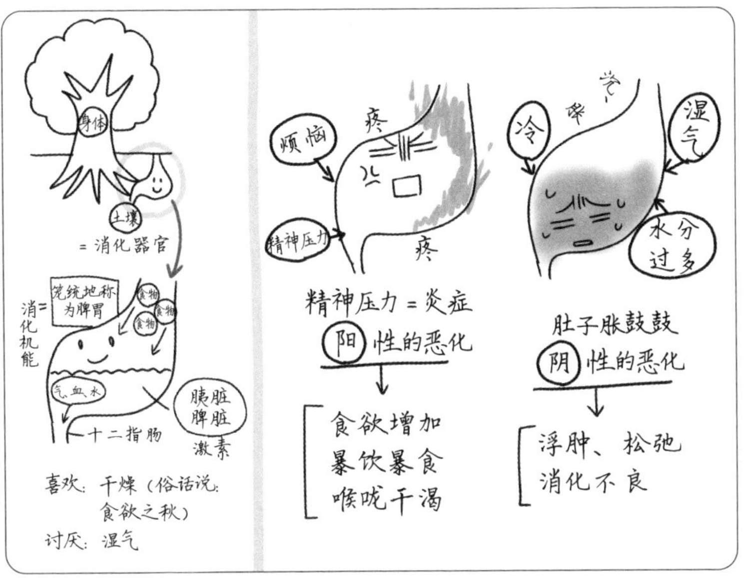

“不以为然”的精神力量是提高新陈代谢的力量

所谓“脾胃”，是胃、脾脏、胰脏、十二指肠等消化器官的统称。东方医学把脾胃看作身体的土壤，是为身体制造气、血、水的重要内脏器官。其中胃是新陈代谢的起点。

我们的**脾胃在烦恼或过度思考的时候容易疼痛，并引发胃炎和消化不良的症状**，从而使多余的水分——“湿”淤积在体内，结果就是使身体发胖。所以说烦恼、过度思考是减肥瘦身的大敌。

谁都有担心、后悔的事，但**从保护脾胃的角度来说，我们要学会万事“不以为然”的精神态度**。

脾胃怕湿气，在季节更替的时节，尤其是立春、立夏、立秋、立冬前的 18 天，容易下雨，湿气重，要特别注意保护自己的脾胃。

ADVICE 58

多愁善感可能源自“浅呼吸”

悲伤使人的肺部功能减弱，锻炼用鼻子呼吸

确信可以调节：皮肤粗糙、自主神经、精神压力、鼻塞

适合体质：气虚 血虚 水滞 气滞 血瘀 湿热

○ **锻炼用鼻子呼吸，以增大肺活量。**

○ **多吃对肺有益的食物（润肺食物）。**

例 银耳、白菜、山芋、梨、大豆，以及其他浅色的食材。

为什么要这样做？

▶呼吸是肺机能的一部分，通过呼吸能锻炼肺机能。

▶肺机能降低会导致水分代谢不畅、体力不足、紧张和免疫力下降。

●身心与肺的关系

- 鼻子：呼吸的出入口。功能下降的话，会流鼻涕。
- 悲伤：肺活量变小、说话声音变小。不敢提出自己的主张。
- 白色：肺机能低下会导致皮肤干燥、缺乏血色，因此泛白。
- 秋季：最干燥的季节。不仅皮肤干燥，内心也会变得脆弱，容易多愁善感。

用鼻子呼吸，润心、润身

呼吸对于体内的水分有排出作用。如果体内水分过多的话，就会分泌大量的痰、鼻涕、汗。

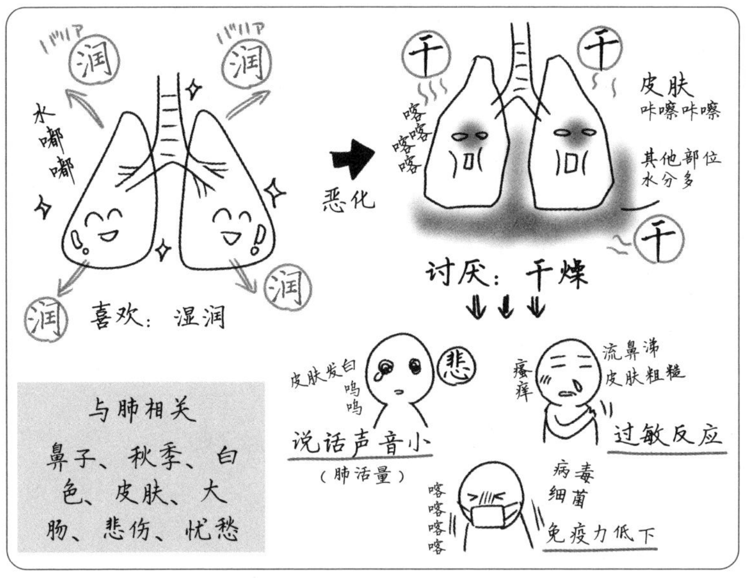

肺机能减弱的话，排水能力就会减弱，体内的水分无法由内而外地到达皮肤表面，自然会导致皮肤干燥、粗糙。同时，无法排出的水分滞留在体内，会形成水滞体质。有些朋友的**皮肤特别干燥，但又有浮肿的现象，这就是肺机能衰弱的典型表现**。

使用鼻子深呼吸可以打开阻塞的呼吸道，同时用腹式呼吸法可以增大呼吸的幅度。推荐大家练习瑜伽、冥想，因为这两个项目在练习的过程中都要用鼻子呼吸。另外，如果感觉自己内心"干燥"，经常悲伤的话，可以在日常生活中多**做自己喜欢的事情，借此来"湿润"自己的内心**。

ADVICE 59

想要保持年轻，先练胆子

恐惧对肾脏不好，散步可以强健肾脏

确信可以调节：体寒、老化、疲劳感、下半身衰老

该做的事

○活动下半身的肌肉。

○冬季不穿薄衣服、不吃冷食，让身体保持温暖。

○多吃对肾脏有益的食物（补肾食物）。

例 黑豆、黑米、红豆、牛蒡、坚果、贝类、香草茶。

为什么要这样做?

▶肾脏影响着我们的生长、发育、生殖，所以我们要提高肾脏的机能。

▶肾脏机能低下会导致体力不足、水分代谢不畅、老化、骨质疏松、尿频。

●身心与肾脏的关系

- 骨骼：肾脏负责骨骼的生长与修复。
- 惊吓、恐惧：受到惊吓的瞬间，我们常会感觉“腰部一软”，这正是“肾气”散失的信号。
- 黑色：肾脏衰弱的话，人脸会发黑。
- 冬季：肾脏怕寒。

抗衰老的关键在于肾脏

东方医学认为，**肾脏就像人体的电池，“生命能量（精）”储存于**

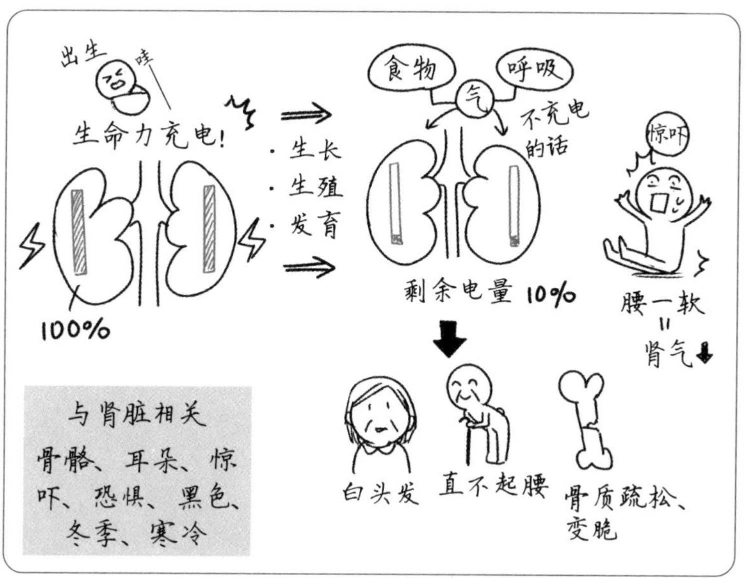

肾脏中，肾脏还能制造"生育能量"。人在出生的时候，生命能量就储存在肾脏中，帮助我们成长。我们在日常生活中，会不断地从外界补充生命能量，补充的生命能量也储存在肾脏中。当生命能量消耗殆尽的时候，我们的生命也就走到了终点。

人体的头发、骨骼、体态都和肾脏有直接关系，当生命能量减少引起衰老的时候，**头发、骨骼、体态会先表现出变化**。而**白头发、骨质疏松、膝盖疼痛、直不起腰等都是生命能量减少的表现**。

随着年龄的增长，中老年人心中的恐惧、不安会增加，这也降低了他们挑战新事物的意愿。为了刺激开始走下坡路的肾脏，提升肾脏的机能，上了年纪的朋友为自己**营造一个能常常接触新事物的环境非常重要**。另外，**散步可以活动、强化下半身的肌肉，是养肾的最佳运动方式**。

ADVICE 60

心情沉重，腿脚就沉重

通过按摩、瑜伽让气运行通畅

确信可以调节：体寒、浮肿、自主神经、疲劳感、下半身衰老

适合体质

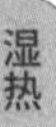

该做的事

○按摩足部，消除下半身的浮肿。

○补充水分，以红豆茶为主。

○感觉气血不畅，马上活动身体。

为什么要这样做?

▶“气”会和“水”一起瘀滞在下半身，让心情沉重。

▶通过物理方式将下半身的水分排出，可让“气”的运行变轻松。

▶运动是让“气”顺畅循环最好的方法。

心情会跟水分一起向下沉

从物理角度来说，步履沉重是因为“脚很重”。当身体中积了多余的水分——湿，“气（生命力）”就会随着水分一起下沉。当人的情绪消沉的时候，负责水分代谢的“胃”会变弱。在这种情况下，**人的下半身常会因为浮肿而变得沉重、硬邦邦**。

用物理手段消除腿脚的浮肿，就能让脚步变轻快，下沉的“气”

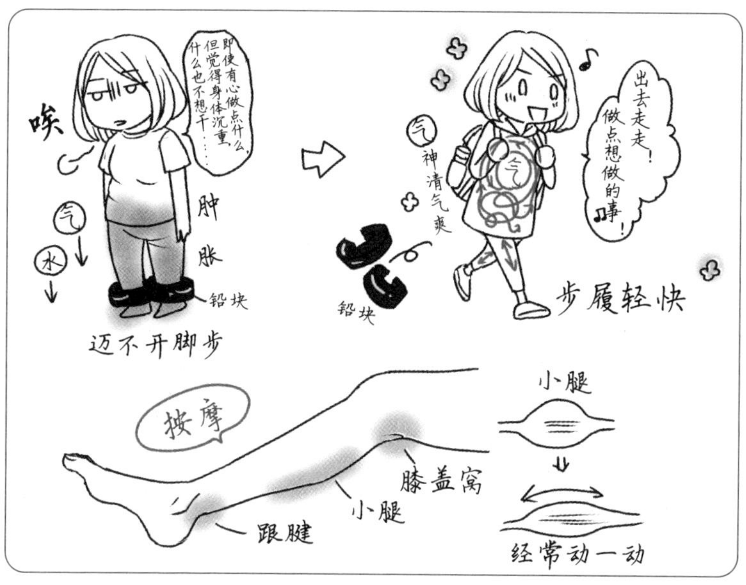

也会正常循环起来。我们**小腿的肌肉担负着回收、排出代谢废物的重任，通过按摩小腿、脚部可以增强小腿肌肉的代谢能力。小腿肌肉变强，水分不容易淤积在下半身，也就从根本上解决了腿脚浮肿的问题。推荐瑜伽、散步等能够锻炼小腿肌肉的运动**。当腿脚变得紧致、有力量的时候，人的心情也会轻松起来。

ADVICE 61

“无聊”是减肥最大的敌人
制作兴趣爱好清单，让您轻松瘦身

确信可以调节：疲劳感、自我认同感、精神压力、食欲

适合体质

该做的事

○制作一份兴趣爱好清单，利用空闲时间做自己喜欢的事情。但是，千万不要把饮食加入这份清单。

○思考自己喜欢的事本身就可以减少无聊的时间，同时能缓解紧张感。

例 我的兴趣爱好清单

- 用筋膜枪放松肩膀
- 按摩脸部，排出代谢废物
- 带爱犬去散步
- 练瑜伽
- 冥想
- 读经营管理类书籍
- 整理电子邮件
- 看旅游频道
- 浏览 YouTube
- 做扫除
- 睡觉
- 查阅美术馆的展览信息
- 和女儿聊天
- 制订登山计划
- 整理旅游宣传册

多为自己制造一些通向幸福的入口

很多朋友在精神压力大的时候，会陷入暴饮暴食的怪圈。这是因为紧张感属于阳性，由此会导致“气”的上升，这时我们就会无意识地通过阴性的方法试图把“气”压下去。

另外，**也有些朋友在无聊的时候，会通过吃东西的方式来消磨时**

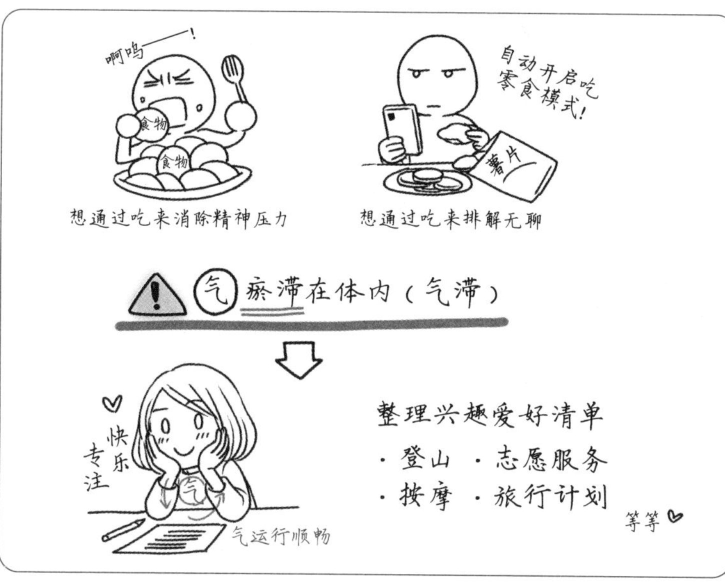

光。就像人在无所事事的时候，总会不自觉地拿起手机刷刷短视频、看看朋友圈一样，这是一种心理依赖的表现，无聊的时候顺手抓起零食吃也是同样的道理。糖、酒、食品添加剂等都属于极阴性的物质，它们都是我们在无聊的时候，想要送进嘴里的东西。

一旦我们通过这些极阴性物质获得了一些幸福感，我们对它们的欲望就会无止境地发展下去。所以，**我们必须使用饮食之外的方法来对付精神压力和无聊感。我建议是制作一份兴趣爱好清单**，有空余的时间就做清单中的事情。这首先可以充实自己的生活，让无聊感根本没有可乘之机；其次可以消除紧张感、缓解精神压力。

旅行是消除精神压力的好方法
为什么森林浴、登山能治愈人的身心？

确信可以调节：自我认同感、精神压力、食欲

该做的事

保持每个月接触大自然 5 个小时以上，感受森林的芳香。

徒步到微微出汗的程度。

充满绿意的森林是最理想的治愈场所。

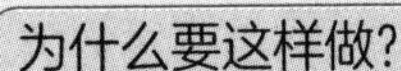

为什么要这样做？

▶山适合偏“阳性（气滞、血瘀）”的人。
▶山属于“阴性”，待在山里就可以缓和“紧张感（阳性）”。
▶森林浴有调节血压、减轻精神压力的作用。
▶身体里淤积的“阳（因精神紧张而导致的炎症）”可以通过徒步运动消除。
▶植物产生的特殊化学物质——“植物杀菌素”是“森林的芳香（阴性能量）”的源头。
▶动物（人）= 阳，植物 = 阴

善用植物所拥有的抗菌治愈能量

在东方医学理论中，认为“山”是阴性的，因此可以缓解紧张感、高血压、肩酸僵硬等“收缩、固化（阳）”的问题。另外，在登山、徒

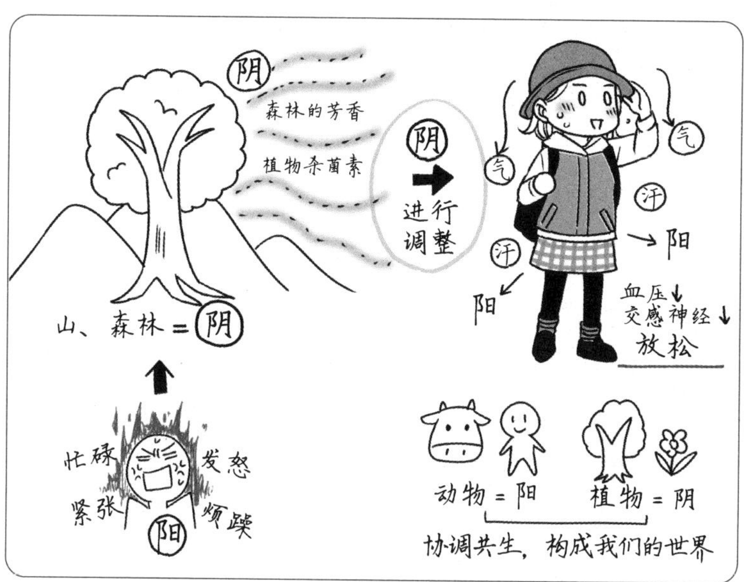

步运动的过程中，人体会微微出汗，可以将体内淤积的“热”发散掉，从而**调节烦躁、易怒等情绪上的高涨状态**。

去过森林的朋友都有体会，森林中有一股特殊的“芳香”，这种沁人心脾的芳香会使人的身心得到放松。其实，这股芳香源于植物释放的一种特殊化学物质——植物杀菌素。这种化学物质可以保护植物免受害虫或外敌的侵害。植物杀菌素具有强力的抗菌作用，**人将其吸入体内有提高免疫力的效果。**最近，这种物质受到了医学界的广泛关注。

人体中的“气”有大约一半是靠呼吸生成的。所以，**在空气质量好的地方生活，不仅可以提升体力，还能提高自然治愈能力。**

ADVICE 63

失恋了就去看一看大海

看海可以让人恢复元气是有科学根据的

确信可以调节：疲劳感、自我认同感、精神压力、食欲

适合体质

该做的事

○感受海风的抚慰。

○吃海产品（大海的味道可以为我们补“阳”）。

○跟着海浪的节奏呼吸（带海浪音的放松音乐也可以）。

为什么要这样做?

▶大海是属于阳性的。身处海边，就能提升行动力。

▶大海是生命诞生的摇篮，充满生命能量。

▶在心理学上，认为大海是激发“回归母体”心理的地方，能够唤醒人在母体羊水中的记忆，让人安心、放松。

▶海浪的节奏大约是 1 分钟 18 次，这和我们平常的呼吸节奏相近。

大海是生命的故乡，我们的呼吸和海浪同频

当我们身体疲劳、精神疲惫、身心交瘁的时候，便会对大海产生无限的向往，这是为什么呢？可能**因为大海是生命的发源地**吧。在心理学上，将这种向往大海的心理理解为一种“**回归母体**”的欲望。母体是最安全的地方，海水好似羊水，所以我们会对大海产生向往。

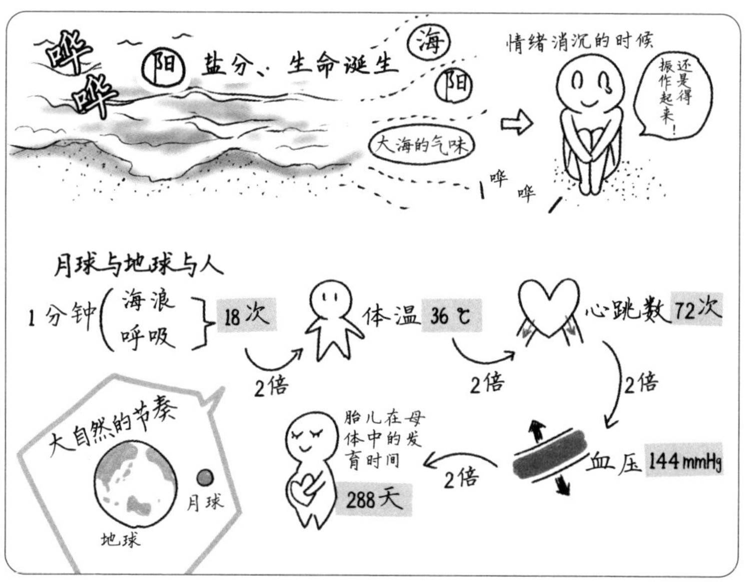

东方医学认为，**大海中的盐分是阳性的，可以把人体内多余的水分“吸”出来，并把下沉的“气”激活。**

海浪拍打沙滩的节奏大约是 1 分钟 18 次，这和我们平时的呼吸频率相近。但人心情不好、精神压力大的时候，呼吸的节奏会被打乱。所以，**到海边把自己的呼吸节奏调整到和海浪同频是调节自主神经的好方法。**

海边还有一种非常棒的自然疗法，就是把自己埋到温热的沙子中进行“沙浴”。这可以促进体内代谢废物的排出。

ADVICE 64

训练 5 分钟就可以掌握“鼻呼吸”

确信可以调节：自我认同感、精神压力、食欲、浮肿、烦躁情绪

气滞

该做的事

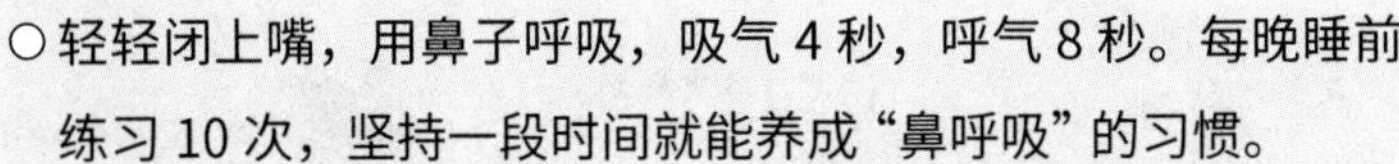

○轻轻闭上嘴，用鼻子呼吸，吸气 4 秒，呼气 8 秒。每晚睡前练习 10 次，坚持一段时间就能养成“鼻呼吸”的习惯。

○经常鼻塞的朋友练习 3 组单侧鼻孔呼吸，鼻子就容易通气了。

为什么要这样做？

▶用嘴呼吸的人总是张着嘴，在这种状态下，颈阔肌长期处于紧张的状态，容易导致面部皮肤下垂。

▶鼻腔里有鼻毛和黏液，用鼻子呼吸可以阻拦空气中的异物和脏东西进入呼吸道，减少呼吸系统疾病的发生。

▶“卫气（中医术语，意为‘防卫机能’）”是由肺输送到身体各处皮肤之下的。

▶鼻呼吸可以吞吐更多的空气，减少呼吸次数，使人放松下来（深呼吸可以使副交感神经处于优势地位）。

通过练习，养成鼻呼吸的习惯

鼻子原本就是呼吸的主要器官，嘴只是辅助呼吸的。因为鼻腔中有鼻毛和分泌的黏液，可以过滤空气中大量的有害物质，从而**降低肺**

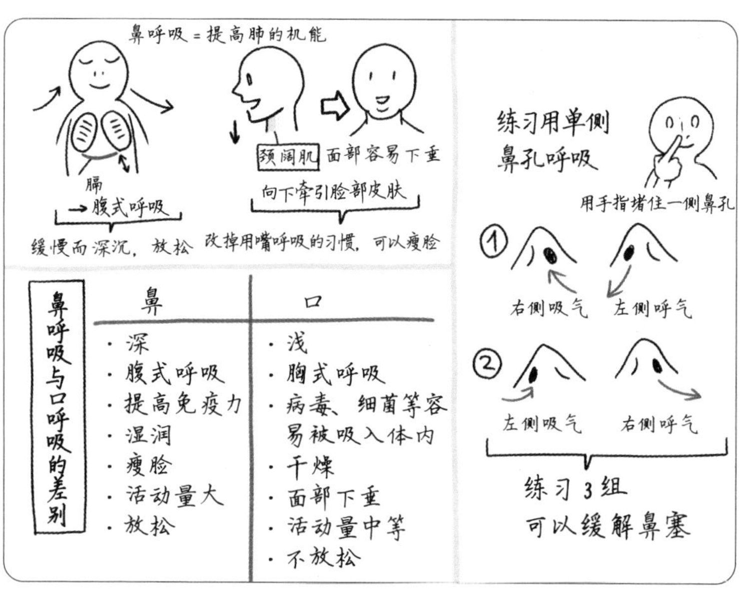

部受到侵害的概率。但由于种种原因，很多朋友养成了用嘴呼吸的不良习惯，这种呼吸方式的害处很多。

东方医学认为，肺能将“卫气（保护身体的防卫机能）”输送到皮肤之下，以保护身体免受疾病侵害。可以说，**肺和鼻子的组合构筑了一道“防火墙”，对身体进行保护。**

另外，呼吸是唯一一种我们可以有意识控制的调整“气”的方法。鼻呼吸是带动膈的“腹式呼吸”。当交感神经（阳）兴奋的时候，人会感到紧张，但**使用鼻子进行缓慢的深呼吸，可以让副交感神经（阴）占据优势地位，从而使人放松下来。**所以，希望大家多多加强鼻呼吸的练习，改掉用嘴呼吸的不良习惯。

ADVICE 65

和“什么都舍不得”的心理说再见
该如何收拾减肥的圣域——厨房？

确信可以调节：疲劳感、自我认同感、精神压力、食欲

适合体质

该做的事

只保留理想的人生中该有的东西。

不是扔掉，而是怀着感恩的心放下，带着这种心情“断舍离”更容易成功。

例 该放手的东西

- 过期食材
- 满是食品添加剂的食品
- 人工调味料（防灾用的除外）
- 糕点
- 别人送的土特产

例 保留的东西

- 绿色调味料（参见第 23 节）。
- 生鲜食材。

为什么要这样做？

▶吃了会发胖的食物，留它何用？

▶只留吃了对身体有益且不会发胖的食物。

▶喜欢储存物品，容易让人看不清原本想要解决的问题。

开启减肥之路该做的第一件事……

很多日本人有一种“舍不得精神”，丢弃东西的时候，心里多多少少有一些罪恶感。但实际上，那并不是从自己内心发出的想法，而

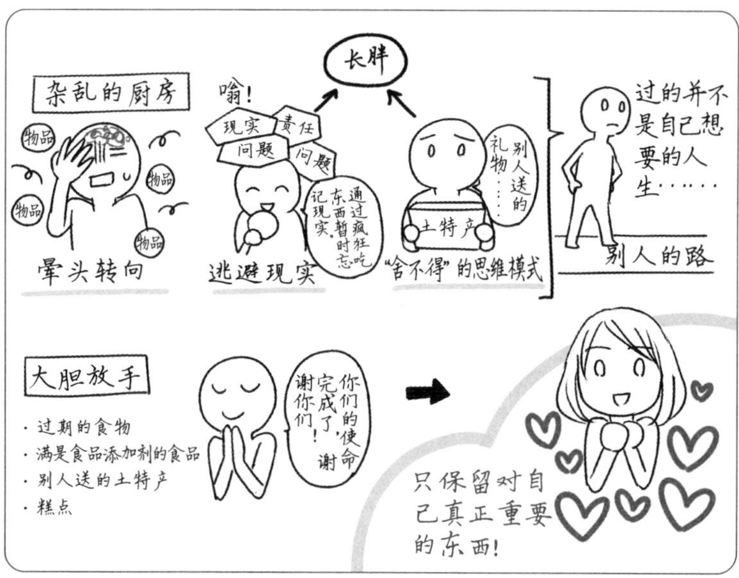

是一种外界强加给自己的价值观。有些食物已经过期，或者明知它对健康不利，但扔掉又怕别人说自己浪费，于是勉强吃下去，这并不是一种美德。

别人送的土特产，其价值只存在于“赠送的当时”；自己购买的物品，现在已经不需要了，那它的价值也只存在于“购买的当时”。这类物品在“当时”已经完成了自己的使命，以后就没有价值了，应该果断丢弃。当然，**对于已经完成使命的物品，我们要心怀感恩，但也要有丢弃它们的勇气，这才是“活出自我”的力量。**

另外，**在厨房中养成“断舍离”的习惯之后，以后就会减少冲动消费，降低购买无用商品的频率，而购买健康食材的比例会大大提升。**

ADVICE 66

看看夕阳和星空

增加感动体验

确信可以调节：疲劳感、自我认同感、精神压力、食欲

湿热

该做的事

体验巨大的感情落差，感动得让自己情不自禁地喊出：“哇！”

例 触景生情

美丽的夕阳、清朗的星空、绚丽的彩虹，寺庙、教堂等雄伟的建筑，伟大的艺术作品（音乐或绘画）。

为什么要这样做？

▶ 让“气”在体内顺畅运行，提高自主神经的机能。

▶ 感情产生巨大落差的“Awe（敬畏）体验”对身心有积极影响。

感受令人折服的力量，人会充满幸福感

感动、敬畏、惊叹等超出预期的感情能给人的身心健康带来积极的影响。欣赏壮丽的大自然风光（视频或照片也可以）、听高雅的音乐、参观雄伟的建筑物等都能给人带来感动、敬畏、惊叹的感受。这些感受能让人领悟人生的真谛，醍醐灌顶般的体验甚至能使人产生重获新生的爽快感。这叫作“Awe（敬畏）体验”。

Awe（敬畏）体验可以减轻人的精神压力，降低死亡的风险，

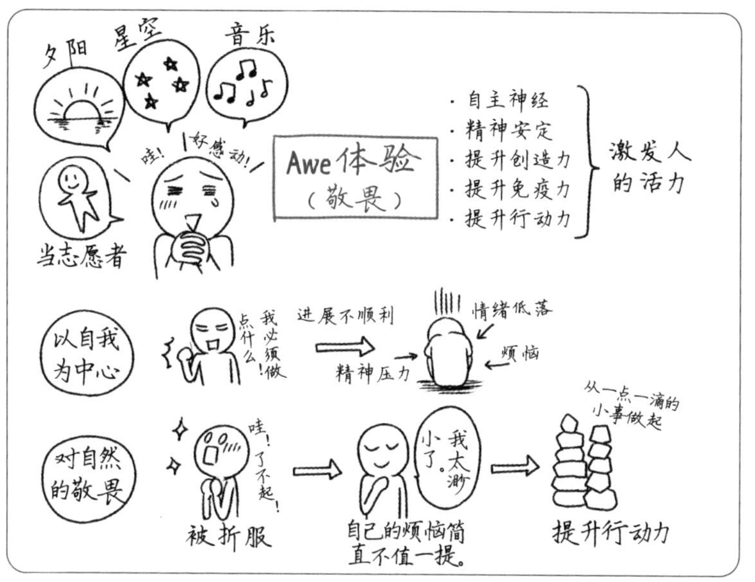

提升创造力。其不仅能给人带来精神层面的安稳，还能提高身体的免疫力。这些都是养生、瘦身的重要助力。

表面看来，我的以上论述有唯心主义的嫌疑，但现实中有很多学者和研究人员用实验验证了“Awe（敬畏）体验”的正面作用。

※ 摘自：*Awe Effect*，卡特琳·桑德巴里、萨拉·汉马尔克朗茨、喜多代惠理子著，SunMark 出版。

(MOVE)

第五章

运动养生

改变运动方式，便可自然瘦身

ADVICE 67

减肥不需要出汗！
您了解运动的真正目的吗？

确信可以调节：疲劳感、精神压力、食欲、关节活动范围

适合体质

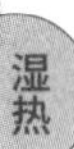

该做的事

日常进行低负荷有氧运动，不但可以扩大关节的活动范围，还能提高日常活动量。

例 低负荷有氧活动

打扫卫生、走路上下班、购物、洗衣服。

为什么要这样做？

▶ ① 提高身体机能和基础代谢，不仅可以让气、血、水的运行更有活力，还可以改善肌肉和神经传导机能。

▶ ② 日常进行低负荷有氧运动→ 扩大关节的活动范围，提高日常活动量。

提高 NEAT（Non-exercise activity thermogenesis，非运动性热消耗，指锻炼之外消耗的热量）。

把日常生活变成高效的运动！

如果人体的肌肉和关节僵化的话，活动的范围就小，稍微活动一下就会感觉累，消耗的热量却很少。而且，当精神压力大或情绪消沉的时候，一点运动的意愿都没有。

我们的目标是要打造一具在无意识间也能消耗热量的身体。为此，我们可以把打扫卫生、上下班的路途变成低负荷有氧运动，只要能改善神经传导功能，扩大关节的活动范围，我们就达到目的了。

虽然大负荷的有氧运动、无氧运动能消耗大量的热量，但对很多人来说过于勉强、苛刻。而且，强迫自己运动，对身心都是一种过度消耗。我所提倡的自然瘦身运动，是以自我保养为中心的，不需要过度消耗身心。**进行完低负荷有氧运动之后，如果感觉神清气爽，那就是“气”运行顺畅的表现。**

ADVICE 68

何时运动最合适？

何时都可以！但不同时间段适合不同的运动

确信可以调节：疲劳感、精神压力、食欲、关节活动范围

能调整生物钟的运动。

早餐前：让一整天都可以瘦身的运动→ 参见第 69 节

- 调整一整天的神经传导、气的运行（促进血清素分泌）。
- 让关节更灵活（阴→阳）。

午餐后：稳定血糖、不让脂肪堆积的运动→ 参见第 70 节

- 通过轻微的运动，消耗血液中的葡萄糖。
- 消除午后的困意，让人更具活力。

傍晚：通过运动来消除疲劳，这叫作"积极休息"→ 参见第 71 节

- 为晚上的放松做准备。
- 将"阳性的疲劳感"发散掉（阳→阴）。

就寝前：为睡眠中的自我养护做好准备→ 参见第 71 节

- 使肌肉放松，让代谢废物处于易于排出体外的状态。
- 切换到完全休息模式。

开始于阳，结束于阴

很多朋友问我："我想通过运动瘦身，但在什么时间段运动最合适呢？"我的回答是："任何时间段都可以运动。"只不过，**不同的时**

血瘀

湿热

间段适合不同的运动，目的和效果都有所不同。

运动瘦身最重要的是忠实地遵从自然的节奏。**早晨是一天的准备时间，是身心切换到“阳（活动模式）”的时间段。而傍晚过后就是为就寝做准备的时间段，应该把身心切换到“阴（放松模式）”。**现代人，白天大部分时间在办公室里忙碌地工作，很少有晒太阳的机会，而晚上又长时间地暴露在明亮的灯光之下，想通过视觉来调整身体的生物钟是非常困难的。

我们可以把一天中身体的活动状态看作一个大波浪。如果我们按照这个波浪的起伏合理地安排运动，那么身体的生物钟也会贴合这个波浪。换句话说，生物钟就得到了调整。

ADVICE 69

瘦身的一天从这里开始

早晨推荐的运动

确信可以调节：疲劳感、精神压力、食欲、关节活动范围

适合体质

该做的事

① 增加关节的活动量和活动范围。

- 广播体操。
- 按摩，促进代谢废物排出体外。

② 促进血清素（让身心安定的神经传导物质）的合成、分泌。

- 散步 15 至 30 分钟（快走、保持固定步频）。
- 令身心愉悦的瑜伽练习。

♥ 推荐的运动组合

- 广播体操 + 散步 30 分钟。
- 按摩 + 瑜伽（15 至 20 分钟）。

为什么要这样做?

▶ 人在晒太阳、有节奏地运动的时候，更容易合成血清素（光照强度 2500 勒克斯[①]以上，最少 5 分钟）。最好在室外晒太阳，如果条件不允许，只能在室内的话，就坐在窗边晒太阳。

① 勒克斯（lux，法定符号 lx）是照度（luminance）的单位。被光均匀照射的物体，在 1 平方米上所得的光通量是 1 流明时，它的照度是 1 勒克斯。——编者注

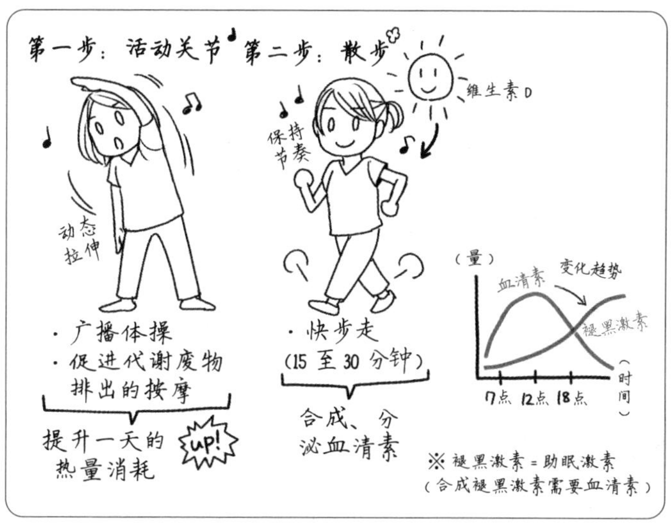

早晨活动关节能够促进一天中血清素的合成、分泌

经过一夜的睡眠，早晨起床的时候，我们的关节比较僵硬，所以早晨推荐大家进行活动关节的运动，对身体和关节进行动态拉伸。关节活动范围的大小直接影响一天中人体热量的消耗量。另外，血清素是一种自动驱动身心的神经传导物质，早晨起床后，要让身心为一天的活动做好准备，就需要血清素。晒太阳和有节奏的运动可以促进血清素的合成、分泌。建议大家在早晨起床后**做广播体操，并结合身体按摩**，这个组合既可以活动关节，也可以促进血清素的分泌，还能加速将代谢废物排出体外。

在室外沐浴着阳光散步可以重置人体生物钟。快步走路的节奏性又可以激活人体的“活动模式（阳）”。所以，如果条件允许的话，我**建议大家在早晨采取步行的方式上班**，如果距离实在太远，可以适当减少乘坐交通工具的距离，增加步行的距离。另外，下雨的日子依然会有太阳的光照射下来，所以，下雨天也要**适当进行户外活动**。但有一点要提醒大家，**散步超过 30 分钟的话，血清素神经会感到疲劳**，所以散步的时间尽量控制在 30 分钟以内。

饭后感觉困是发胖的信号

白天推荐的运动

确信可以调节：精神压力、食欲、血糖值、血压

适合体质

该做的事

稳定血糖值、不让脂肪存储下来的运动。

- 在饭后 10 分钟之内，对大肌肉群进行拉伸（参见第 38 节）。
- 在饭后 1 小时之内进行 10 至 30 分钟的散步活动（缓慢）。

为什么要这样做?

▶ 饭后出现困意是血糖值升高的信号。

▶ 饭后轻微运动可以将血糖转化为能量。

▶ 可以提高午后的专注力。

午饭后建议进行轻微运动

饭后泛起困意是血糖值升高的信号。在血糖值高的状态下，身体就开启了储存脂肪的模式。饭后，**如果能在困意来袭之前通过轻微的运动把血液中的糖消耗掉，不仅可以保持血糖值的稳定，还能防止下午出现注意力不集中、判断力降低，傍晚出现浑身无力的情况。**

午饭后，我推荐的运动是散步，缓慢地步行即可。忙碌的职场人士可以利用宝贵的午休时间，到公司附近的公园里进行 10 至 30 分

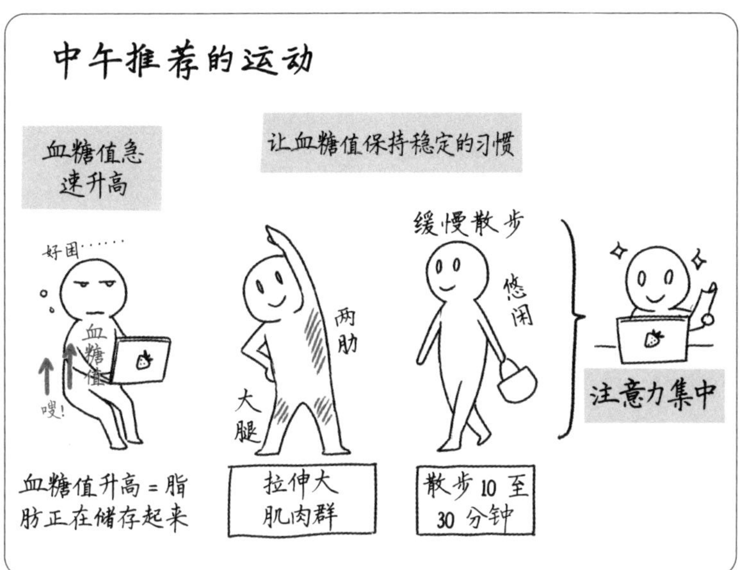

钟的悠闲散步。在阳光的沐浴下，享受公园中的绿意，让身心得到极大的放松。另外，**通过拉伸两肋、大腿、肩膀等处的大肌肉群也可以起到稳定血糖值的效果**。

在午餐后的10分钟内做两肋拉伸运动时，有些朋友会感觉很吃力，那多半是因为午饭吃多了。所以，我们也可以通过饭后运动的方法，反向控制饭量。**如果吃饭后能够轻松地做拉伸运动，说明饭量适中**；如果做拉伸运动有困难，则说明吃多了。

赶走下午 5 点后的疲惫

傍晚推荐的运动

确信可以调节：精神压力、食欲、疲劳感

该做的事

采取“积极休息”的方式，通过运动来消除疲劳。

例 · 下班回家少坐一站地铁，用步行替代。
· 去健身房流汗。
· 挑战稍微有些难度的瑜伽。
· 欢乐地舞蹈。

为什么要这样做?

▶ 让一整天活动产生的热通过出汗发散出去。
▶ 将阳性的“活动模式”切换为阴性的“休息模式”。
▶ 促进血液循环，将疲劳物质和代谢废物加速排出体外。
▶ 让脑部产生的热量通过运动发散出去，让身体保持平衡（特别是伏案工作或从事创造性脑力工作的朋友，尤其推荐）。

下午 5 点之后的生活方式直接影响晚上的睡眠质量

傍晚进行适当的运动是开启“放松模式”的开关。特别是平时精神压力较大或经常感到烦躁的朋友，以及从事脑力工作的朋友，若在晚上睡觉的时候，身体和头脑中的“热”还没有消除掉，就容易出现

入睡困难和睡眠质量不佳的情况。

在下午 5 点之后，即下班之后，进行欢快的、适量的运动可以**将体内多余的热发散掉**，夜晚就会更容易进入放松模式。体内的热会随着汗水排出体外，而手舞足蹈地运动有助于**消除精神上的紧张感**。如果带着紧张感进入夜晚的话，人容易**通过酒精、甜食等阴性食物来寻求放松，也就是会阴性食物摄入过量**。但是我也要强调一点，傍晚时运动的强度和量不要过大，否则兴奋感久久难以平复的话，也会影响晚上的休息。运动到**微微出汗**就可以了。

ADVICE 72

休息模式下也能轻松瘦身

夜晚推荐的运动

确信可以调节：精神压力、食欲、疲劳感、血压、失眠症

气滞

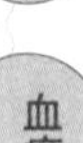

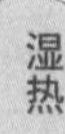

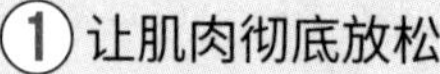

① 让肌肉彻底放松

- 用瑜伽滚轴或筋膜枪放松肌肉
- 用手按摩肌肉
- 温暖身体：红豆热敷袋、泡澡

② 让肌肉恢复正常形状

- 拉伸练习：每个部位拉伸 30 秒以上，让肌肉恢复正常的形状（静态拉伸）。

要点

- 主要使用鼻子呼吸，拉长呼气的时间。
- 睡觉前 2 小时禁止因运动出汗。

为什么要这样做？

▶ 让白天僵硬的肌肉放松下来。
▶ 通过这样的运动放松，让睡眠中排出代谢废物的效率最大化。
▶ 温暖身体后，血液循环加快，更容易排出代谢废物。

如何防止局部肥胖和睡眠不足

晚上进行运动的重要目的之一就是让肌肉的状态复位。白天长时

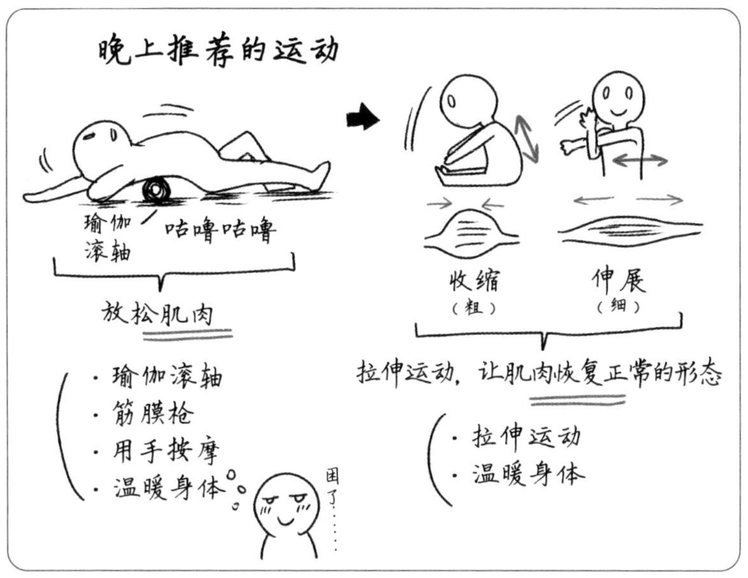

间伏案工作，或者女性朋友穿着高跟鞋长时间地站立、行走，会给身体的某些部位造成很大的负担，导致某些部位持续收缩，肌肉僵化。这也是我们的身体局部发胖的重要原因。

关节和脊椎骨附近的肌肉更容易承受过大的负担。而这些部位的附近常有较大的淋巴结。所以，如果这些部位的肌肉因负担过重而僵化，那么附近淋巴结的机能也会受到影响。这就容易导致代谢废物难以排出，从而**使整体瘦身变成一句空话**。

晚上，我们要使用各种按摩工具对肌肉进行放松，尤其是白天负担较重的部位。当肌肉放松之后，大脑就会收到“准备开启休息模式”的信号，接着**困意就会袭来**。除了按摩，再加上拉伸运动，**让白天持续收缩、变厚的肌肉恢复正常形态**。

ADVICE 73

把人生切换为“容易模式”

喜欢上散步

确信可以调节：精神压力、食欲、疲劳感、血压、失眠症、血糖值、老化

适合体质：气虚 血虚 水滞 气滞 血瘀 湿热

该做的事

多多散步

- 散步要花时间，散步的过程也挺无聊，但要接受这个事实。
- 要喜欢上散步，认为不散步就是损失。

为什么要这样做？

▶ 对我们来说，最好的运动就是走路。

▶ 人类是用双足直立行走的动物，我们的身体就是为了适应直立行走而逐步进化的。

▶ 由于某种原因（比如下肢受伤等）不能行走的话，腰腿力量变弱，人就会迅速衰老。

▶ 使用下肢力量的步行能把“气”的运行调整到最佳状态。

● 让散步变得轻松愉快的方法

- 足部按摩：促进足部血液循环，放松足部，让人想去走路。
- 散步时把注意力集中到行走节奏上，进行“散步冥想”。
- 穿着防风、防水服装（推荐登山套装）。

勇于接受现实，即使是不喜欢的事情也要积极去面对

什么运动对人体的健康最好？不管在什么时代，不管是什么文

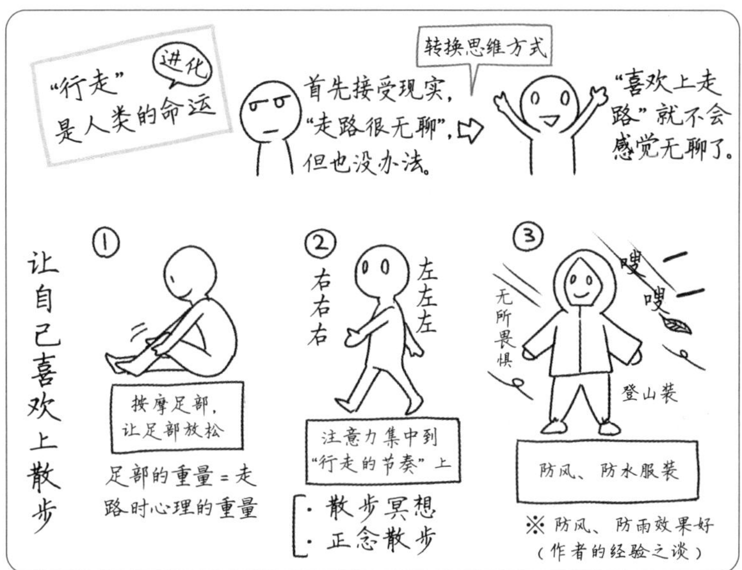

献，几乎都可以找到**统一的答案——步行**。有历史的印证，加之亲身体会，我相信大多数朋友都知道步行对身体的益处。但是，步行很无趣，甚至有点无聊，所以虽然步行有益健康，大家却不愿去实践。因此，每个时代都有和我一样的人在锲而不舍地推荐大家多走路……

我喜欢上步行也是在了解到它对人的极大好处之后。人不喜欢走路无非是几个原因：腿脚沉重、难找合适的场地、天气条件不好等。但只要想办法，总能找到解决的对策。例如，按摩足部，让足部变轻松；走路时把注意力集中在脚步的节奏上，就不会在意场地的条件；风雨天穿上户外服装，完全可以遮风挡雨……**走路不仅能够帮我们减轻体重、增进健康，还能源源不断地为我们提供精神层面的力量。**

另外您想，**如果能够喜欢上走路，人生不是又多了一件乐事吗？**

不想跑步也没关系
没必要勉强自己奔跑

确信可以调节：精神压力、食欲、疲劳感、血压、失眠症、血糖值、老化

适合体质

湿热

该做的事

不要勉强自己奔跑。

跑步锻炼之后一定要做拉伸和按摩，放松腿脚肌肉。

快走也有很好的健身效果。

为什么要这样做？

▶ 跑步是双脚同时离开地面的一种运动，也可以理解为一种跳跃运动。落地时的冲击危害较大。

▶ 跑步时的落地冲击有可能破坏血液细胞（红细胞），降低基础代谢。

▶ 跑步使局部肌肉负担猛增，有可能破坏身体的支撑线条（尤其是股关节周围的肌肉）。

▶ 增加活性氧（老化物质）的产生。

锻炼并不是强度越大越好

以前我热衷于跑步锻炼，但后来换成了步行，理由就是跑步脚落地时造成的冲击有很多坏处。首先，这种冲击有可能破坏我们血液中的红细胞，导致**基础代谢降低**，甚至可能引发“溶血性贫血（破坏红

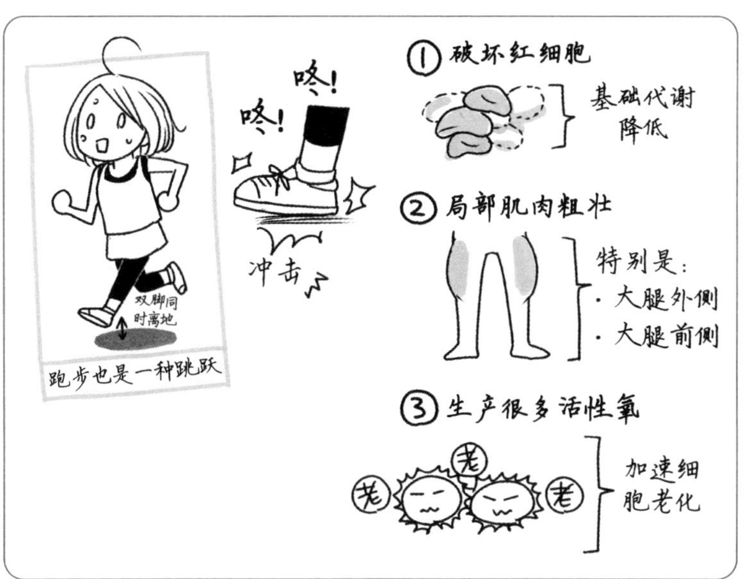

细胞的速度超过其再生速度）”。另外，跑步时急促的呼吸会使**体内的“活性氧”增加**。不正确的跑步姿势还容易导致**局部肌肉负担过重**，乃至造成关节损伤。

把跑步换成**快走就可以极大地减轻冲击力度，不用消耗太多体力也能实现瘦腿、瘦身的效果**。从消耗热量的角度来看，当然是跑步消耗得更多，但**从可持续性和锻炼频率来讲，快走更具有易长期坚持的优势**。喜欢跑步而且已经形成习惯、能够长期坚持的朋友当然没有必要将跑步换成快走，但跑完之后一定不要忘记做拉伸运动并按摩腿脚。

为什么瑜伽能传承 4000 多年
为什么瑜伽比普通的拉伸运动更好?

确信可以调节：精神压力、食欲、疲劳感、血压、失眠症、血糖值、精神状态

适合体质

湿热

该做的事

推荐以下瑜伽练习方法：

- 拜日式瑜伽 / 流瑜伽：缓慢进行的有节奏的运动。
- 阴瑜伽：长时间保持相对简单的瑜伽动作，以完全放松为目的。
- 正念瑜伽：将意识聚焦在当前的感受上，放空大脑。

为什么要这样做?

▶锻炼与呼吸相关的肌肉，让躯干部位变苗条。
▶调节内心的阴阳平衡，让自主神经的运转回归正常。
▶将意识集中到呼吸和肢体动作上，放空大脑，对大脑进行重启。
▶瑜伽不仅是一种运动，还是“动态冥想”。

通过练习瑜伽，接纳现在的自己

东方医学部分源于古印度的《奥义书》哲学，而瑜伽也源自这种哲学，是一种动态冥想。**瑜伽的目的是调节阴阳平衡，让人的精神安定。**当今日本的瑜伽含有较多健身因素（从美国传入），也许会被人们认为是一种单纯的健身运动。但不管怎么说，在练习瑜伽的时候，

人都会专注于自己的呼吸节奏，感受当前的身体变化，让内心进入平静模式，这是**经过了漫长历史验证的养生方法**。

没接触过瑜伽的朋友在初练瑜伽的时候，往往会因为肢体僵硬而感觉完成动作很困难。但不必气馁，只要在尽力完成动作的过程中把重点放在“感受自身变化”上，就会有所收获。现在网上有很多在线瑜伽教练，或者大家可以跟着视频练习，入门并不难。

SLEEP

第六章

睡眠养生

改变睡眠方式，便可自然瘦身

ADVICE 76

自然瘦身力是在睡眠中练就的
午夜 12 点之前必须钻进被窝

确信可以调节：疲劳感、精神压力、食欲、贫血

适合体质

血虚 气虚

水滞

气滞

血瘀

湿热

该做的事

午夜 12 点之前必须钻进被窝。

为什么要这样做？

▶ 凌晨 1 点至 3 点是生长激素（自我修复激素）分泌最旺盛的时间段，也是肝脏发挥藏血功能最活跃的阶段。

▶ 在凌晨 1 点至 3 点，让自己进入“非快速眼动睡眠（深度睡眠）”状态。入睡之后 90 分钟，睡眠最深。

▶ 在“非快速眼动睡眠”中，可以放松大脑，让身体从疲劳的状态中恢复。

会睡觉的人不会胖是有原因的

我们在睡觉的过程中，身体会修复受损的细胞，还会将废物代谢掉、整理记忆等。但人在“浅睡眠（快速眼动睡眠）”时，头脑还比较活跃，肌肉也会动。

人要想进入“深睡眠（非快速眼动睡眠）”，需要充沛、润泽的血液。那些睡觉时经常做梦、盗汗的朋友，以及睡醒后没有爽快感、浑身乏累的朋友，大多是因为白天消耗的血液较多，晚上难以进入深睡

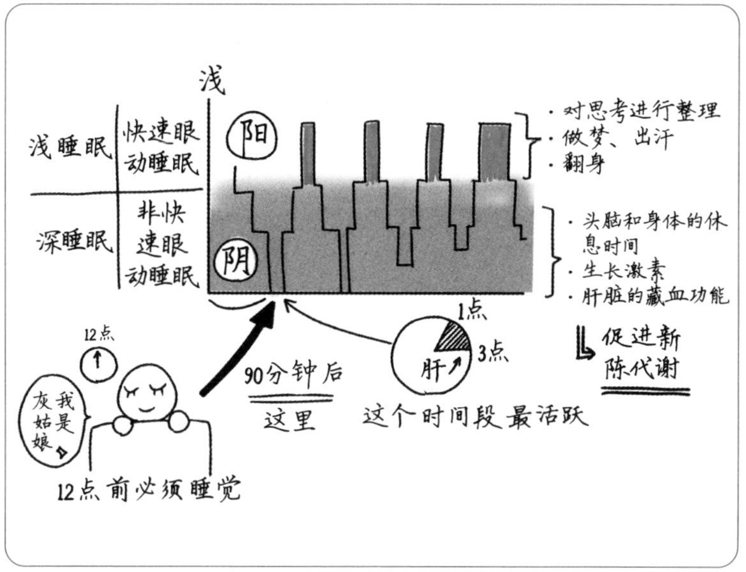

眠的状态。

入睡大约 90 分钟之后，会迎来第一个深睡眠阶段。如果我们是在午夜 12 点左右入睡，那么第一个深睡眠阶段会出现在凌晨 1 点至 3 点，这段时间被称为“肝脏的活跃时间”。因此，我们如果能够在 12 点前入睡的话，肝脏的活跃时间就能得到保证，肝脏就能制造出更多的血液，也就能保证高质量的睡眠。另外，促进脂肪燃烧、修复受损细胞的“生长激素”，也是在第一个深睡眠阶段生成、分泌的。

ADVICE 77

"温暖→ 熟睡"的方程式

泡澡最好在睡前 2 小时进行

确信可以调节：疲劳感、精神压力、食欲、贫血、失眠症

适合体质：气虚 血虚 水滞 气滞 血瘀 湿热

该做的事

在预定睡觉时间的前 2 小时泡澡，最多泡半个小时。

为什么要这样做?

- 身体的"深部温度"降下来的时候，困意自然会袭来。所谓"深部温度"是指内脏、脑等身体内部的温度。
- 深部温度降不下来，体内还藏着热，睡眠质量就高不了。
- 泡澡时，手脚等肢体末端的毛细血管活跃起来，更有利于降低身体的深部温度。

释放身体深层的热量是快睡、深睡的诀窍

在上床前 2 小时泡半个小时热水澡，到睡觉的时候，正好身体的深部温度已经降了下来，困意自然会来袭，躺下很快就能入睡。如果身体深处还带着很高的热量，那么"阳性能量"就难以得到抑制，这时的人会有紧张感，同时大脑依然处于活跃状态，当然难以入眠。

身体深层的热主要通过手脚向外发散。在泡热水澡的过程中，手脚的毛细血管被激活，体内多余的热也更容易排出去。可能大家都有

感触，在手脚冰凉的时候，人躺在被窝里也难以入睡。尤其是平时手脚容易冰凉的朋友，睡前一定要注意温暖手脚。**手脚冰凉，毛细血管就丧失了散热的功能，深部温度降不下来才会睡不着。**

而且，**平时我们要注意按摩手脚，让手脚的毛细血管活跃起来，恢复它们的正常机能，这对于快速入睡、深度睡眠非常有益。**

ADVICE 78

袜子可以帮助我们睡个好觉

冬天穿长筒袜睡觉

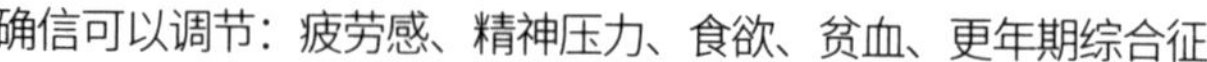

确信可以调节：疲劳感、精神压力、食欲、贫血、更年期综合征

适合体质

该做的事

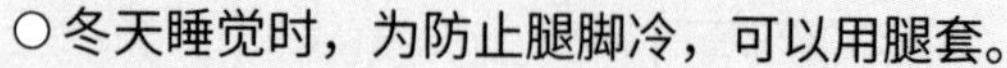

○ 冬天睡觉时，为防止腿脚冷，可以用腿套。

○ 脚冷可以穿短袜，暖和了再脱掉。

○ 多吃促进血液循环的食物，经常按摩足部，以防肢体末端寒冷。

为什么要这样做？

▶ 能够激发睡意的“散热”，最先应该从手背、脚背做起。散热是通过皮肤的呼吸进行的，所以要让手脚的皮肤温暖起来。

凉爽、透气是优质睡眠的保证

前面讲过，**人体深部的温度降下来，困意会自然袭来。**散热，即释放热量，是通过“皮肤呼吸”来完成的，尤其是手背和脚背的皮肤，在散热中发挥着重要的作用。

寒冷的冬天，很多朋友在睡觉时脚是冰凉的。为了暖脚，可以穿着袜子睡觉，但我更推荐腿套，因为**腿套在暖腿的同时，能把脚背露出来，这样脚背可以更好地散热。**如果脚尖冰冷的话，可以穿袜子进

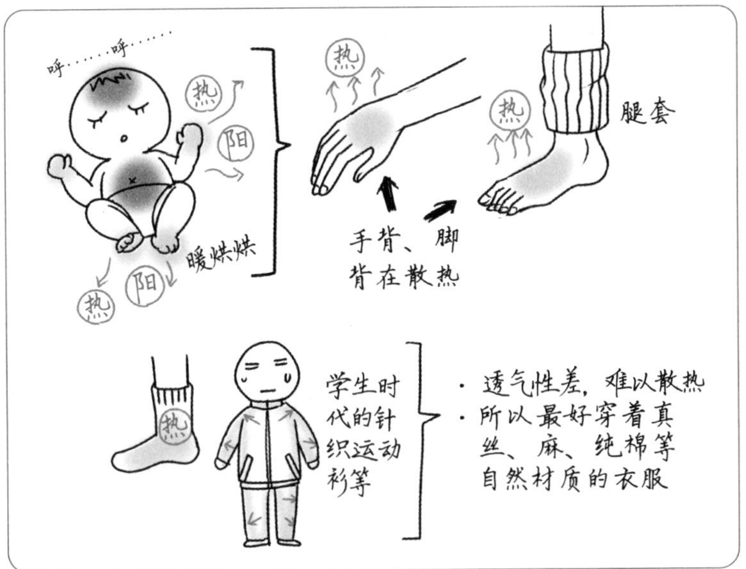

行保暖，我推荐穿真丝、麻、纯棉等天然材质的袜子。

在寒冷的季节，穿厚睡衣是很正常的，但是很多**人造材质的睡衣虽然保暖，却不透气，会让皮肤呼吸变得困难，建议不要穿这种不透气的睡衣。保持身体的凉爽状态，睡眠质量会更高**。所以，卧室的温度、被子的厚度都需要调整到最有利于睡眠的状态。

ADVICE 79

拉伸肌肉，让“阳气”发散

夏季睡前做轻柔的拉伸运动

确信可以调节：疲劳感、精神压力、食欲、更年期综合征、失眠症

该做的事

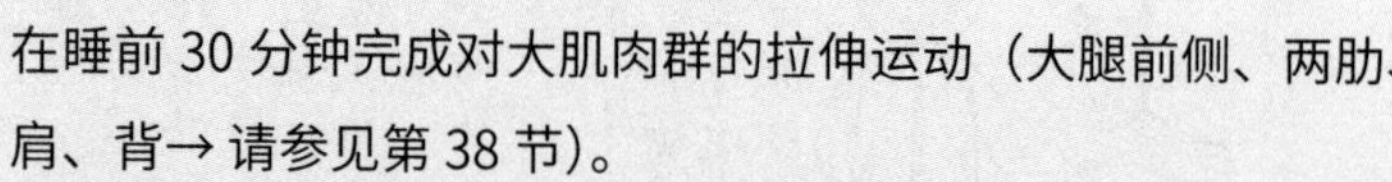

在睡前 30 分钟完成对大肌肉群的拉伸运动（大腿前侧、两肋、肩、背→ 请参见第 38 节）。

为什么要这样做?

▶ 炎热的夏天入睡困难，是因为人体内的“阳”很活跃，容易导致热量滞留在体内。

▶ 拉伸运动能够通过活动肌肉，将体内的“阳”发散出去。

释放阳和热，让副交感神经处于优势地位，可谓一石“三”鸟

炎热的夏季，睡觉变成了一件困难的事情，不仅是因为温度高、湿度高等环境因素，更主要的是体内的“阳性能量”很活跃，热量容易滞留在体内。在高温、高湿的夏季，泡澡出汗并不能完全带走体内多余的热量，这时，我们可以**通过轻柔的拉伸运动来把多余的热量释放出来**。

之所以说拉伸运动有助于提高睡眠质量，**一方面是因为拉伸运动**

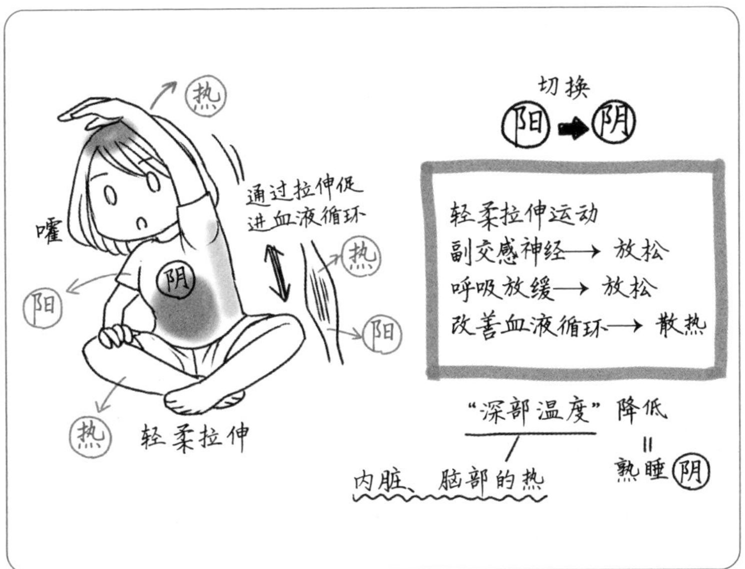

可以让紧张了一天的肌肉得到放松，并且可以让副交感神经处于优势地位；另一方面，拉伸还能将体内的“阳性能量”释放出去。因为拉伸运动会促进血液循环，体内的热量就会加速从手、脚等部位发散出去。

晚上最好不要进行力量训练，因为这种让肌肉收缩的训练会使交感神经处于优势地位，令人保持紧张的状态，散失过多的热量。

让大脑安静下来

睡前用信手乱写的形式为一天画上句号

确信可以调节：疲劳感、精神压力、食欲、更年期综合征、失眠症

适合体质

血虚 气虚

水滞

气滞

血瘀

湿热

该做的事

把今天不爽的事情或发愁的事情随意地在纸上乱写出来，处理掉这些精神垃圾。

为什么要这样做?

▶让大脑意识到“今天结束了”。

▶总想着未完成、未解决的事情，让头脑一直处于“活动模式”，多余的热便会滞留在脑部。

▶通过视觉给大脑一个“结束”的信号，大脑开始休息（将脑部多余的热发散掉，提高睡眠质量）。

睡前把烦恼写出来是睡个好觉的窍门

朋友们可能都有过类似的经历，明明白天很忙、很累，到了晚上，身体已经非常疲惫了，但躺在床上翻来覆去就是睡不着。这是因为到了晚上，头脑依然处于活跃的状态。**睡觉前，如果心里依然有烦恼、不爽、担忧的事，我们的头脑就会持续地去寻找答案，一直处于活跃的状态，这就会使头脑产生多余的热，且发散不出去，因此影响我们正常的睡眠。**

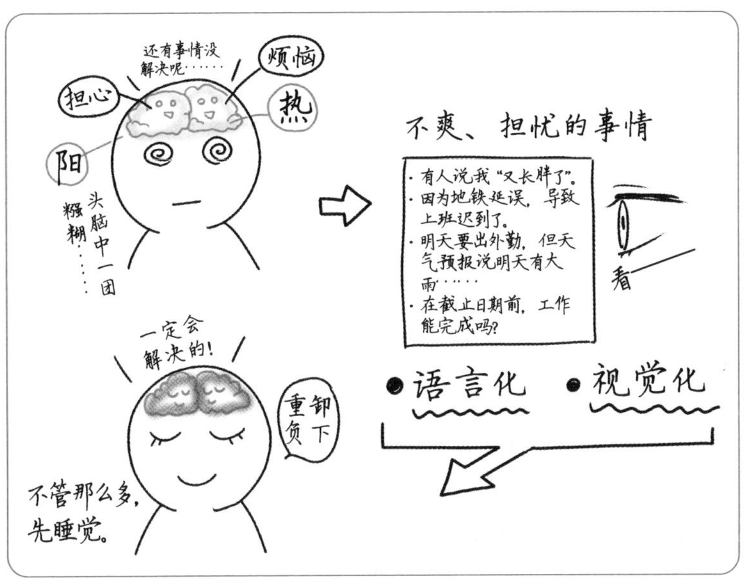

我推荐给大家一个小妙招，**在睡前把心里烦恼、担忧的事情信手乱写在纸上。通过这种形式把问题用语言表达出来，写在纸上用视觉进行确认，我们的大脑就能更好地看清问题的本质，从而增加安心感，我们的心情就会平复很多。**如果这个问题是凭一己之力无法解决的，就**把这张纸揉成团丢进垃圾桶。**这样做是通过视觉、体感给大脑一个信号，告诉大脑"我已经放手了"，那么大脑就会卸下重任，进入放松的状态。头脑不会产生多余的热，我们也会感觉神清气爽，接下来就可以轻松地入睡了。

担心明天的事情，会让头脑发热

为明天做好准备之后再睡觉

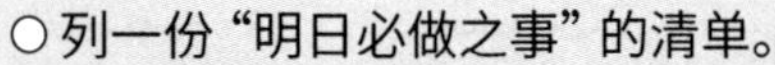

确信可以调节：疲劳感、精神压力、食欲、更年期综合征、失眠症

该做的事

○列一份“明日必做之事”的清单。

○列一份“今日完成之事”的清单，写日记。

○准备好明天上班要穿的衣服、携带的物品。

为什么要这样做？

▶尽量消除让自己担忧的事情，使大脑休息下来。

▶让大脑明确区分“今天”与“明天”。

▶过夜的烦恼，会让头脑持续产生热量。

明天的事明天办

担忧的事情会让头脑持续紧张，带来精神压力，从而产生、滞留大量的热。带着担忧上床，睡眠质量肯定会大打折扣。所以，**越是事多、忙碌的人，在睡觉之前就越是应该让大脑明确地区分今天与明天。**

“今日事今日毕”“明天的事明天办”，我们都应该有这样的觉悟。

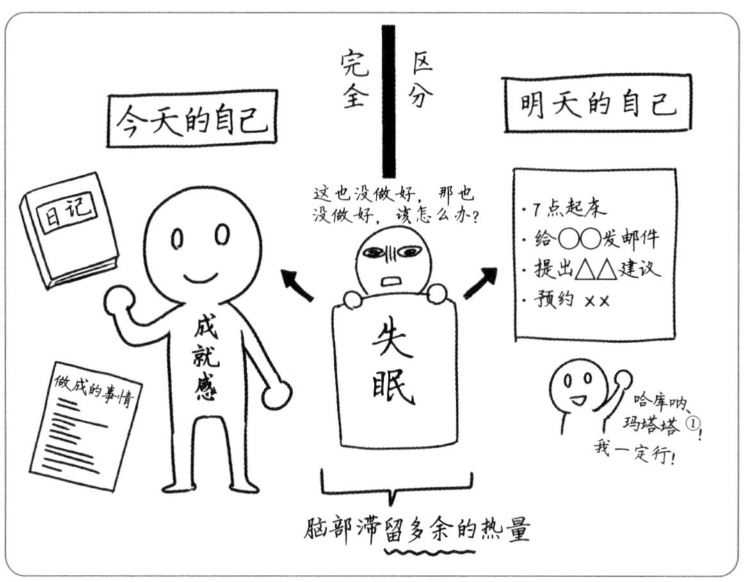

睡前，我们应该列一份“今日完成之事”的清单，整理出今天已经完成的事情，一种成就感就会油然而生。如果有尚未完成的事情，那就把它们作为“明日必做之事”，这样能让自己安心，让大脑休息。

另外，**睡前把明天上班要穿的衣服、要携带的物品准备好**，可以减少对明天睡过头、迟到、忘带东西的担忧。整理出明天该做的事情不仅有助于顺利开展工作，更有利于调整自己的精神、身体，减少担心的事情，让内心稳定。

① 源于一句古老的非洲谚语，意为从此以后无忧无虑，梦想成真。——编者注

ADVICE 82

无法进入熟睡状态，就无法造血！

睡前 2 小时之内不能做的事情

确信可以调节：疲劳感、精神压力、食欲、更年期综合征、失眠症

不该做的事

第一，使用电脑和手机。

第二，喝酒。

第三，力量训练。

为什么不要这样做?

- ▶ 电脑、手机屏幕发出的蓝光和日光（阳）相同，使用电脑、手机要消耗血液，使脑部的热迟迟无法得到冷却。
- ▶ 睡前 2 小时不能过度使用眼睛→ 可以读纸质书、听轻音乐、按摩、冥想等。
- ▶ 对身体来说，酒精属于异物。睡前喝酒，入睡后肝脏还要持续解毒，得不到休息。睡眠中，肝脏担负着储藏血液的任务→ 睡前 3 小时就应该结束饮酒。
- ▶ 力量训练会使肌肉收缩，让交感神经（使人兴奋）处于优势地位（阳）。

不要让生物钟紊乱，不要干扰肝脏的藏血功能

要想获得高质量的睡眠，第一，要按照正常的生物钟进行活动；

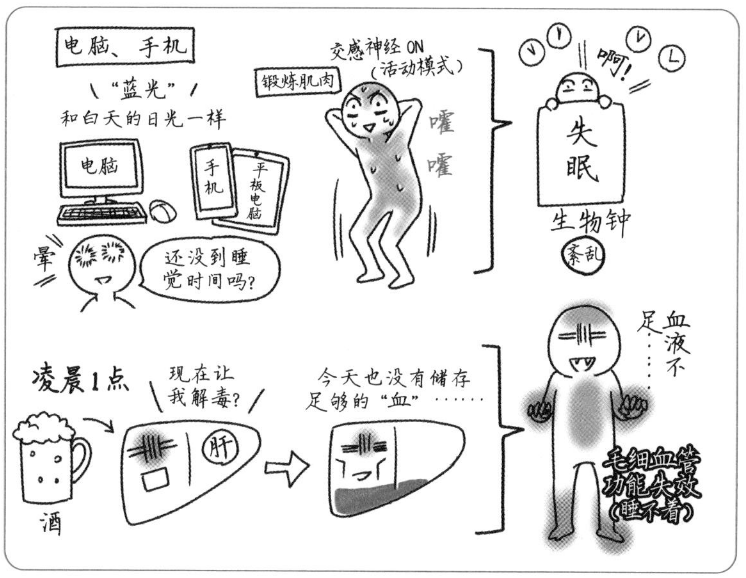

第二，养成良好的生活习惯，不要消耗过多的血液。人体内的生物钟受光的影响非常大，**电脑、手机屏幕发出的蓝光和太阳光中紫外线的作用相当**。所以，如果睡前还在用电脑、看手机的话，我们的大脑获得的信息就是“现在还是白天吧？不能睡觉”。另外，**晚上进行力量训练，让肌肉紧张**，也相当于告诉生物钟“现在我处于活动模式，不能睡觉”。

喝酒到很晚也是要改掉的不良生活习惯。对**肝脏**来说，睡眠是其开展藏血工作的时间。如果睡前还在喝酒的话，那么入睡之后，肝脏就会优先对酒精进行解毒，无法储存足够的血液，导致睡眠质量低下。我建议大家在睡前 3 小时就要停止喝酒，同时在酒后喝“第一萝卜汤”（参见第 25 节），通过萝卜汤中富含的消化酶对酒精进行分解。

参考资料

饮食过量的第二天该如何度过

我建议大家将生活分成“享受的日子”和“保养的日子”，在享受的日子，可以适当放纵饮食，但如果不经意间吃多、喝多了，那么第二天就要实施排毒计划。

首先，我们要弄清自己是什么食物吃多了，因为不同的食物，应对的方法也不一样，是阴性的酒、甜品还是阳性的肉或油炸食品？

根据第二天早晨身体的感觉来判断是哪种食物吃多了。

- 感觉身体浮肿 → 阴性食物吃多了。
- 感觉胃胀、积食 → 阳性食物吃多了。

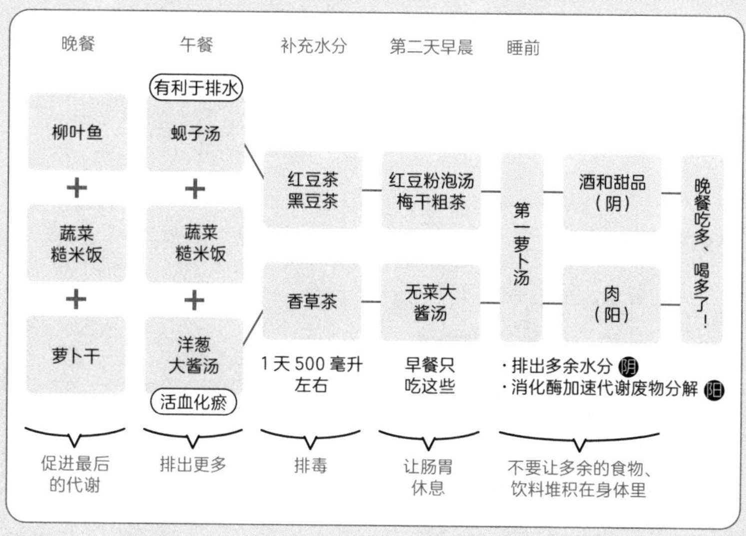

睡前

- 第一萝卜汤（参见第25节）。

  → 阴性食物吃多了：排出体内多余的水分——有利于排水。

  → 阳性食物吃多了：富含消化酶，加速代谢废物的分解。

第二天早晨：阴性食物吃多了

- 红豆粉泡汤（参见第24节）。

  → 有利于排水，消解宿醉。

- 梅干粗茶（参见第24节）。

  → 调理肠道。

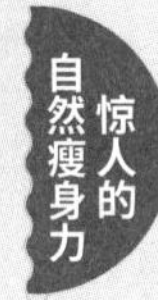

第二天早晨：阳性食物吃多了

• 无菜大酱汤。

→ 整理肠道、健脾（增强脾脏功能）。

补充水分——阴

• 红豆茶、黑豆茶→有利于排水。

补充水分——阳

• 香草茶。

→ 养肝（提高肝脏功能）。

清热（清除体内多余的热）。

抑制内脏炎症的产生。

午餐——阴

• 糙米饭 + 蔬菜 + 蚬子汤。

→ 有利于排水、消除宿醉。

午餐——阳

• 糙米饭 + 蔬菜 + 洋葱大酱汤。

→ 活血化瘀（改善血液循环）。

晚餐——阴

- 糙米饭 + 蔬菜 + 柳叶鱼。

  → 补充钙质，促进糖分代谢。

晚餐——阳

- 糙米饭 + 蔬菜 + 萝卜干。

  → 强力活血化瘀、分解脂肪。

使用食物阴阳表，调整阴阳平衡

想调整身体的阴阳平衡，应该吃什么食物、怎么吃呢？别急，我为您奉上一份“食物阴阳表”（参见下文）。通过这张表，您可以对日常多种食物的特性一目了然。同一种食物因为产出季节、产地、烹调方法等的不同，其“阴阳”的属性也会随之发生变化。

● 蔬菜的最佳食用方法——加热，增加阳属性

蔬菜是非常健康的食物，我鼓励大家多吃，但是蔬菜基本是阴性的。不过，可以加热或晒干后再食用，这就为蔬菜增添了阳属性，能使其变成中庸的食物。

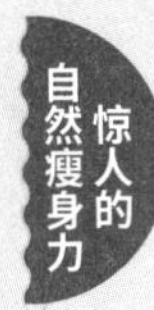

● 尽量不吃或少吃的食物

为防止身体的阴阳失衡，有些食物只有在“享受的日子”可以适当吃一点，在其他日子最好不要吃，即极阴性和极阳性的食物。

另外，在“保养的日子（即平时）”，也尽量把畜肉替换成鱼肉，减少“极阳性”肉类的摄入，保持身体的中庸。

用“五行色体表”检查身体状况

所谓“五行色体表”，是基于东方哲学，用五种要素对身体状况进行分类的一张表。将季节、内脏、身体组织关联起来，查找身体不适的原因，并给出保养的方法。

举例来说，当人的耳朵出现状况的时候，可以先对照五行，找到耳朵，发现其属“水”，再在属“水”的事项中寻找，就可以发现耳朵出问题可能是肾脏出了问题，也可能是心中感到恐惧所致。

五行色体表

五行	木	火	土	金	水
五脏	肝	心	脾	肺	肾
五腑	胆	小肠	胃	大肠	膀胱
出状况的部位	目 指甲	舌 脸（色）	口 唇	鼻 体毛	耳 头发
五脏掌管的器官	筋	血管	肌肉	皮肤	骨骼
身体出状况时，分泌的液体	泪	汗	涎	鼻涕	唾
容易引起身体不适的天气状况	风	热	湿	干	寒
容易引起病情恶化的季节	春	夏	长夏 （梅雨）	秋	冬
生病时的情感变化	怒	喜	思 （思考）	悲	恐
身体不适时皮肤或面部的颜色	青	赤	黄	白	黑
能保养五脏的味道	酸	苦	甘	辛	咸

（译者注：在中医看来，“涎”和“唾”是有区别的，液在脾为涎，液在肾为唾。日语原文中也沿用了中医的这种区分。）

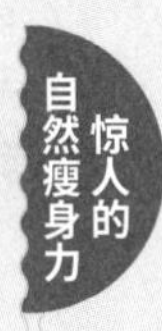

食物阴阳表

冷・膨胀

极阴性 ◀——— 阴性 ◀——— 中

辛・酸・甘

・玉米 ・小麦粉
・天然酵母面包 ・精米

・竹笋 ・土豆 ・卷心菜、大葱
・西红柿 ・茄子
・蘑菇 ・芋头、红薯

水果・种子・坚果
・香蕉 ・葡萄 ・苹果 ・各种坚果
・柑橘

植物性加工食品・豆类
・豆奶 ・粉丝 ・豆腐 ・纳豆
・蚕豆 ・黑豆

干货
・葡萄干 ・干香菇

调味料
・辣椒 ・蜂蜜 ・红糖 ・醋、料酒、油

・果汁 ・咖啡 ・香草茶 ・黑豆茶
・酒精 ・牛奶 ・水

尽量不吃的阴性食物

含糖饮料、合成酒、含糖糕点、白砂糖、
人工甜味剂，高糖面包，化学调味料，冰淇淋、冰棒等

尽量不吃的阳性食物

熏火腿、腊肉、香肠、
精制盐

热 < 凝固

庸 →	阳性 →	极阳性

苦·咸

谷物
- 糙米
- 荞麦
- 糙米饼

蔬菜
- 小松菜（油菜的变种）
- 白菜
- 大萝卜、芜菁
- 洋葱
- 莲藕
- 南瓜
- 胡萝卜
- 牛蒡
- 野山药

鱼贝类
- 白芝麻
- 黑芝麻
- 白果（银杏果实）
- 贝类
- 乌贼、章鱼
- 青鱼
- 鲑鱼

- 海藻类
- 红豆
- 冻豆腐
- 腌萝卜
- 梅子干

- 萝卜干
- 海带汤
- 鲣鱼干

- 酱油
- 大酱
- 天然盐

饮料
- 红豆茶
- 三年粗茶
- 梅干粗茶

应该减少食用次数的阳性食物

猪肉、鸡肉、牛肉、蛋、金枪鱼（大型鱼类）

“现在再看到甜品，我没有非吃不可的欲望了。”

“多亏了艾莉老师的教导，我眼中的世界发生改变了！”

“开始按照艾莉老师的方法进行减肥之后，我终于找到自己迷茫的原因了。”

“艾莉老师的建议非常有用，现在我买东西的时候再也不纠结了。”

…………

我在 YouTube 和 Instagram[①] 上分享我的经验，每天都会看到粉丝们“喜报”一样的留言。上面给大家列举的几则粉丝留言都有一个共同的特点，就是“虽然我无法改变环境，但我可以改变自己的视角”。如果把改变环境类比为“地心说”，将改变自己类比为“日心说”，那么粉丝的变化无异于从“地心说”切换到了“日心说”。能给粉丝带来如此之大的转变，我自己也感到非常震惊。

东方医学的一个前提是“虽然不清楚原因，但大自然就是如此”。

① 一款基于图片和视频分享的社交媒体应用。用户可以通过该应用分享自己的生活照片和视频，以及关注其他用户的动态和精彩瞬间。——编者注

靠人类的力量是无法完全改变自然环境的，所以，我们应该把着眼点放在——在“自然法则”之下，如何更好、更健康地生活。这也是我个人对东方医学基本思想的理解。

很喜欢佛家的一个词——“放下”。初看，“放下”是一个带有消极含义的词，但其实它的含义是“看明白”。

对真理——世间的法则——看明白了，才能做出选择。在能够正确看待（看明白）世间的现象之后，对于自己做不到的事情、烦恼也没用的事情就可以放下了，然后把精力集中到自己能做到的事情上。

这样一解释，您不觉得“放下”是一个很了不起的词吗?

曾经的我无法正确理解减肥（没看明白）这件事，一直执着于勉强自己去做违反自然法则的事情。那时，我会用含糖量少的“甜食”来给自己的食欲制造虚假的满足感，还会把自己运动到筋疲力尽来减少身体中的脂肪。现在想想，那些显然都是违反自然法则的事情。

后来我转变观念，瘦身成功之后，把自己的心得、经验、方法通过网络分享了出去，在采用我的方法进行减肥实践的粉丝中，成功减掉 10 公斤以上的朋友大有人在。而且，他们大多数人的体重没有出现反弹。我收到了无数朋友的感谢留言:“多亏了艾莉老师……”每每看到这样的留言，我在欣喜的同时，也会说:“那不是我的功劳，让这么多朋友重获健康、美丽的是‘自然之力’。”对于“自然之力”，我始终抱有感恩且敬畏的心。大家应该感谢的不是我，而是 4000 多年来将这些经验、知识传承下来的先辈。

随着科学技术和生产力的发展，如今我们生活的世界越来越方便了。但这也逐渐让我们产生了一种错觉，就是“人类无所不能”，从而

越来越“以人类为中心”。但实际上，我们依然生活在大自然中，大自然的法则依然对我们起作用，这是从人类诞生至今从未改变的事实。

当我们再次认识到这些自然法则的时候，我们看待这个世界的方式也会发生改变，或者说回归自然、回归正常。到那时，我们的瘦身挑战也就开启了“简单模式”，腿脚变得轻快，身体逐渐灵活，也不会特别在意别人的眼色，可以根据自身的意愿做各种决断。

至少当我认识到自己身体里的自然法则，并顺势而为的时候，顿时感觉体内的重负消失了，幸福感不断得到提升。根据粉丝们的反馈，实践了我的减肥方法后，大家也都有类似的感觉。

大自然一直是我们的朋友，我们的体内也存在大自然的法则。认识到大自然的力量，激发出体内大自然的力量，就能让自己成为自己的主人，也是迈向幸福的第一步！

如果通过这本小书能够帮读者朋友们认识并激发出自己身体里的“自然瘦身力”，我将倍感荣幸。最后我们要借一点点篇幅感谢我的丈夫，在我写这本书的时候，他为我提供了莫大的帮助，从家庭到工作，丈夫为我分担了很多。另外还要感谢陪我一起登山、下海、到处旅行的女儿！家人永远是我前进的动力！

最后的最后，还要由衷地感谢一位朋友，那就是认真倾听我诉说，在我写作的时候负责所有沟通、协调、编辑事宜的杉浦博道老师，没有您，就没有这本书的问世。

养生瘦身顾问艾莉
2023 年 6 月